太白文藝出版社

中国名菜经典菜谱丛书

川菜经典菜谱

沪菜经典菜谱

鲁菜经典菜谱

苏菜经典菜谱

徽菜经典菜谱

浙菜经典菜谱

京菜经典菜谱

粤菜经典菜谱

竹笋肝膏

干烧鹿筋

仔鸡豆花

鱼香兔糕

官燕孔雀

干烧岩鱼

双味火锅

干烧鱼翅

鸳鸯海参

百花肥头

吉祥麦穗卷

双味龙凤菊

蝴蝶竹笋

家 常 海 参

笋蒜干糕汤

咸菜什锦

编撰人员

主　编：王文福

编　委：（以姓氏笔画为序）

王文福　王　珂　王　琦　刘宝童

李长友　陈兴贵　赵飞凤　张君升

蔡凌燕

撰　稿：（以姓氏笔画为序）

丁　松　王文福　王　珂　王崇新

邓翠英　刘向荣　陈玉松　陈燕白

迟　中　李长友　李世善　李成林

李志伟　宋广志　邵万宽　吴赤农

沈湛澄　周妙林　姜　松　徐海蓉

谢公平

前言

中国的饮食文化源远流长，博大精深。中国名菜则是中国饮食文化宝库中的璀灿夺目的明珠。长久以来，内容丰富、技艺高超、品味精美的中国名菜，不仅深受我国人民的喜爱，而且成为享誉世界的著名美食。中国也因此而被称为“烹饪王国”。

为了全面而系统地总结、继承和弘扬中国的烹饪文化，使之进一步发扬光大，造福于民族，造福于人类，我们特地编写了这套《中国名菜经典菜谱丛书》。

这套丛书，是全国旅游院校和部分饮食及食品研制单位的诸多专家、教授、科研人员和著名厨师共同撰写的。在编写过程中，曾搜集和整理了大量的古今有关资料，总结了历代名厨的丰富烹饪经验，力求全书的内容丰富系统，典范精粹、切实实用。

这套丛书将全国各大著名菜系的精典名菜分别编写成册，首批书目包括粤菜、川菜、徽菜、浙菜、鲁菜、苏菜、京菜、沪菜，共八本。以后还将陆续出版其他地方风味名菜经典菜谱。每册菜谱按菜肴种类不同，分为“水产类”、“禽蛋类”、“畜肉类”、“山珍野味类”、“植物类”、“素菜类”、“甜菜类”、“药膳类”、“其它类”等部分。对每款菜还从烹调类型、菜式味型、主料、配料、调料、制作要领、制作工艺、成菜特点等方面作了详细而具体的介绍。同时，对每种菜肴的渊源、典故、命名、营养价值、食疗作用等也作了适当的介绍，从而使全书具有严谨的科学性，普遍的烹饪操作指导性和丰富的知识性，堪称菜谱中的精品。因此，这套丛书既可作为旅游、烹饪、食品等有关专业广大师生的教学参考书，更是各类厨师学习中国名菜制作，提高烹饪技艺的优秀实践指导书。同时，对于爱好并有志于研究中国烹饪文化，乐于学习中国名菜烹调技艺的普通读者来说，这套丛书无疑具有很高的收藏阅读价值和生活实用价值。

王文福

1994年9月

目　录

禽蛋类菜式

畜肉类菜式

山珍海味类菜式

植物类菜式

药膳类菜式

川味火锅菜式

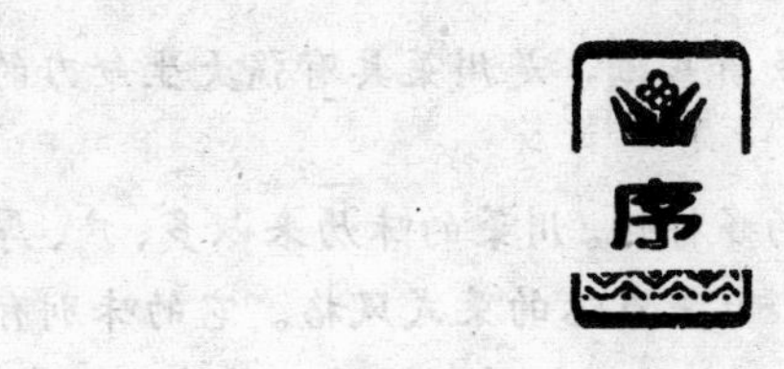

四川菜简称川菜，系我国历史悠久的著名菜系之一。它起源于古代的巴国和蜀国，萌芽于西周至春秋时期，形成于秦代及三国时期。西汉扬雄的《蜀都赋》对蜀中的烹饪原料、烹饪技巧、川菜筵席作了详尽的描述。东晋常璩《华阳国志》对巴蜀“尚滋味”“好辛香”风俗的翔实记载，反映了川菜的基本风格。清代李化楠《醒园录》则更为详细记述了川菜滋味之精美，烹饪技艺之高超。长久以来川菜就以其取材之广泛，调味之多样，菜式之繁胜，适应面之广而在中国烹饪领域中素享盛誉。

川菜独具魅力的鲜明特色主要有四点：一是四川的食物资源得天独厚，使川菜具有取材的广泛性。川地位于长江中上游，四山环抱，沃野千里，气候温湿，盛产粮油佳品，蔬菜瓜果四季不断，家禽家畜品种繁多；川地江河纵横，水源充沛，水产品品种特异，如江团（长吻鮠）、肥沱（圆口铜鱼）、腊子鱼（胭脂鱼）、东坡墨鱼（墨头鱼）、剑鱼（扬子江白鲟）等质优而稀少；山岳深丘，野味山珍丰富，有熊、鹿、獐、麂、贝母鸡、虫草、竹荪、天野等；调味品也多彩多奇，如自贡川盐、阆中保宁醋、内江糖、永川豆豉、德阳酱油、郫县豆瓣、茂汶花椒、辣味的海椒更富有特色。这些物产为川菜的取材提供了广泛的物质基础，是川菜具有强大生命力的重要原因。

二是川菜调味变化的多样性。川菜的味历来以多、广、厚著称，所以有一菜一格、百菜百味的菜式风格。它的味别有咸鲜、咸甜、家常、麻辣、红油、椒盐、鱼香、姜汁、怪味、蒜泥、甜酸、荔枝、五香、香糟、芥末、椒麻、酸辣、甜香、香辣等几十种。咸甜麻辣酸调配多变，诸味高低起伏各具特色。川菜尤其对辣味的运用有独到之处，能做到辣而不燥，辣得适口，辣得有轻重层次，辣得有韵味。鱼香、怪味、椒麻、麻辣诸味是川菜所独有的。

三是川菜烹调方法多种多样。清人李化楠在其《醒园录》一书中就系统地收集了川菜38种技法，后经川菜大师们的继承和发展，川菜的烹调技法更加丰富而精湛，有炒、煎、烧、炸、腌、卤、熏、泡、蒸、熘、煨、煮、炖、焖、淖、爆、炮、煸、烩、粉、贴、酿、糁、糟、风、炸、烤、醉、拌、烘、等几十种之多，尤其以小煎小炒，干烧干煸最具特色。小煎小炒不过油，不换锅，急火短炒，芡汁现炒现兑，一锅成菜，嫩而不生，滚烫鲜香。干煸干烧更见功夫，干烧菜肴，微火慢烧，用汤恰当，自然收汁，汁浓油亮，味醇而鲜，干煸技法成菜味厚而不腻，久嚼而酥香。

四是川菜具有众多菜式的适应性。川菜的菜式主要由高级筵席、普通筵席、大众便餐、家常风味、民间小吃等数种组成。高级筵席选料严谨，制作精细，组合适时，调和清鲜，多用山珍海味，配以时令鲜蔬，口味多变，品种丰富。普通筵席制作就地取材，荤素并举，汤菜并重，菜肴重肥美，讲究实惠，朴实无华，一般都保留传统菜式。大众便餐，菜式多样，以经济方便为原则，口味多变，烹制迅速，能适应多种需要为特点。家常风味菜式，取材方便，制作简单，菜肴经济实惠，家喻户晓，深受群众喜爱。

川菜的组成主要以成都、重庆两地的风味为代表，其中还包括乐山、江津、自贡、合川等地的风味菜。这些产生于四川的以各自的菜肴美点不断地丰富本地的特色，在长期的继承和发展烹饪技艺中，创制了许多脍炙人口的名菜佳肴，成为中国名菜家族中最具生命力和影响力的著名菜系。

编者

1994 年 9 月

水产类菜式

（一）五柳鱼丝

五柳鱼丝为四川省名菜。是选用鲜活鲤鱼为主料，配以熟火腿、冬笋、香菌、丝瓜皮、泡红辣椒以及多种调味品等精制而成。含有丰富的蛋白质、脂肪、维生素 B_1、B_2、尼克酸，以及钙、磷、铁等营养物质。且鲤鱼具有清热解毒，止咳下气，利尿消肿等食疗作用。

烹调类型：软熘制成的咸鲜味型菜肴。

主料：鲜活鲤鱼一条（约 750 克）。

配料：熟火腿 15 克，冬笋 20 克，香菌 10 克，丝瓜 15 克，泡红辣椒 10 克。

调料：大葱 15 克，精盐 10 克，料酒 30 克，熟猪油 150 克，湿淀粉 30 克，蛋清 25 克，鸡油 10 克。

制作要领：上浆的蛋清糊宜用水淀粉与蛋清调匀，不要太稀；熘时的油温不要太高，一般以三、四成热（60℃—80℃）为宜。

制作工艺：将鲜鲤鱼去鳞，去鳃，剖腹去内脏洗净，剞去骨刺后将净肉切成粗丝，放入钵内加精盐、料酒腌渍码味；熟火腿、熟冬笋、香菌、丝瓜皮（焯熟）、泡红辣椒（去蒂、籽）均切成细丝。炒锅置火上，下熟猪油烧热（约80℃），将腌渍入味的鱼丝用蛋清豆粉糊上浆后入锅滑散。滗去余油，将鱼丝拨一边，下火腿等丝略炒，烹滋汁翻簸，淋上少许鸡油起锅装盘即成。

成菜特点：清爽悦目，入口滑嫩，鲜香可口。

（二）锅贴鱼片

锅贴鱼片为四川省名菜。是选用鲜鱼净肉为主料，辅以熟猪肥膘肉、鲜笋、熟火腿、生菜和调味品制成。含有丰富的蛋白质、动植物脂肪、胆固醇、维生素 B_1、B_2、尼克酸、维生素C以及钙、磷、铁等矿物质。

烹调类型：煎贴烹制而成的咸鲜味型菜肴。

主料：鲜鱼肉400克。

配料：熟猪肥膘肉400克，鲜笋10克，火腿50克，生菜25克。

调料：盐4克，料酒20克，蛋清50克，豆粉50克，白糖5克，香油10克，素油250克，醋5克。

制作要领：猪肥膘肉片好后，要用刀尖在正中划两刀，以免其卷曲；煎时火不要过大；生菜应沥干水分。

制作工艺：鱼肉片成5厘米长、3厘米宽、0.3厘米厚的片；猪肥膘肉片成5厘米长、3厘米宽、0.5厘米厚的片。这两种均片成24片。鱼片用盐、料酒腌渍码味；鲜笋切成4厘米长、1.7厘米宽的薄片；火腿剁成细粒。猪肥膘肉铺于盘中，用净布（入热水透后拧干）搌去油质一至二次，然后均匀地抹上蛋清豆粉糊，在一片肥膘肉上贴一笋片，其余的肥膘肉上贴火腿细粒。将鱼片用其余的蛋清豆粉糊拌匀，一片片放在铺好笋片和火腿的肥膘肉上。将炒锅在火上把锅周围炕热，下油浪匀后，将锅提离火口滗去油，将肥膘鱼片逐一贴在锅上（先锅边，后锅底，肥膘一面贴在锅上），然后将锅放在火上炕（随时移动锅，使火候均匀），炕至肥膘呈鸭黄色时，利用烤出的肥膘中的油，将鱼片煎熟，滗去油，加香油起锅入盘，同时镶上拌有白糖、盐、醋、香油的生菜即成。

成菜特点：脆酥嫩香，浓淡相宜，佐酒最佳。

（三）麒麟鱼

麒麟鱼为四川省传统名菜。是选用鲜活鲤鱼，配熟火腿片、冬笋、海带、鸡蛋、荸荠、莴笋、樱桃以及多种调味料制成。含有丰富的蛋白质、脂肪、维生素 A、B_1、B_2、尼克酸，以及钙、磷、铁、碘等营养物质。

烹调类型：经清蒸烹制而成的姜汁味型热菜。

主料：鲜活鲤鱼一条（约 750 克）。

配料：熟火腿 50 克，冬笋 50 克，莴笋 150 克，海带 50 克，鸡蛋 2 个，荸荠 50 克，樱桃两颗，泡辣椒一只。

调料：料酒 10 克，姜 20 克，葱 10 克，盐 5 克，胡椒粉 1 克，味精 0.5 克，醋 20 克，清汤 100 克，豆粉 15 克。

制作要领：在鱼身两侧开孔要对应，距离相等；上笼蒸用大火，一般蒸约 15 分钟。

制作工艺：鲤鱼去鳞、鳃，剖腹洗净，在鱼身内外抹盐码味；鸡蛋调散后，摊成蛋皮；莴笋切成银针丝，入沸水中焯一下，捞起用冷开水漂透捞起；海带洗净，姜拍破，葱挽结。用模具将火腿、蛋皮、海带、冬笋、荸荠切成长约 1.5 厘米的鱼鳞片，再用小尖刀在鱼背和鱼身两侧刺许多孔，用夹子夹上以上的鱼鳞片各一片，粘上少许蛋清糊，从鱼头部至尾部在各孔内插入成鱼鳞形，用青笋片做成划水翅，樱桃做眼珠，泡辣椒放于鱼头成独角，入盘加葱姜、料酒后入笼，用大火蒸熟取出，去掉姜、葱，将焯好的青笋丝摆于鱼的两侧。清汤烧沸，加盐、胡椒粉、味精调好味，灌于盘中，食时配姜醋碟蘸食。

成菜特点：色分五彩，形似麒麟，肉质细嫩，汤味鲜美，宜于秋夏食用。

（四）糖醋脆皮鱼

糖醋脆皮鱼为四川省筵席名菜。是选用鲜活鲤鱼为主料，辅以多种调味品烹制而成。含有丰富的蛋白质、脂肪、维生素 B_1 及多种矿物质。且鲤鱼具有利尿消肿、清热解毒、止咳下气的功效。

烹调类型：经炸烹制成的糖醋味型热菜肴。

主料：鲜活鲤鱼一条（约 750 克）。

调料：泡红辣椒 10 克，菜油 750 克，料酒 10 克，姜、葱、蒜各 15 克，盐 5 克，味精 0.5 克，酱油 10 克，水豆粉 65 克，醋 40 克，白糖 60 克，鲜汤 75 克。

制作要领：鲤鱼宜选 750 克左右一尾。炸时火候要掌握好，使鱼外酥内嫩；滋汁要收得稍浓些。

制作工艺：鲤鱼去鳞、鳃、内脏后洗净。在鱼身两面各剞五、六刀（直刀进、平刀推约 3 厘米），鱼顶额用刀尖砍一小口；用料酒、姜（拍破）、葱将鱼腌渍码味；姜、蒜切成细粒，泡红辣椒去蒂和籽，切成细丝；葱一部分切细丝，一部分切成葱花。盐、醋、酱油、白糖、味精、水豆粉加鲜汤兑成糖醋芡汁。炒锅置旺火上，下菜油烧至200℃左右；把鲤鱼用水豆粉均匀涂抹后，手提鱼尾将鱼氽入锅，并用勺舀热油烫淋鱼身，待鱼刚变色时，轻轻放入锅内，炸呈金黄色捞起装盘，用净布盖上，以手轻拍使鱼松散。另用锅下混合油少量烧热，下姜、蒜细粒和葱花炒香，烹入芡汁推匀，待汁收浓起小泡时起锅淋于鱼身，并撒上葱丝、泡红辣椒丝即成。此菜另有两种上菜形式。其一，鱼和滋汁同时完成，乘鱼热上席后，再将滋汁淋于鱼身，此时就会发出响声，称为“堂响糖醋脆皮鱼”；其二，鱼和滋汁做好后，在鱼身上洒上曲酒，点燃带火上席，再在席上浇上滋汁，称为“火龙糖醋脆皮鱼”。

成菜特点：形整美观，色泽金黄。鱼肉外酥内嫩，糖醋味浓厚，富有营养，其后两种上菜形式，风味别具，倍添食趣。

（五）大蒜鲇鱼

大蒜鲇鱼为四川省名菜。是选用鲜活鲇鱼为主料，配以大蒜、香菜心、泡红辣椒和多种调味品制成。含有丰富的蛋白质、脂肪、维生素 B_1 和 B_2、尼克酸以及钙、磷、铁、钾和一定量的硒。

烹调类型：经炸、烧烹制而成的家常味型热菜。

主料：鲜活鲇鱼一条（约750克）。

配料：大蒜50克，香菜心15克，泡红辣椒15克，郫县豆瓣10克。

调料：素油500克，料酒15克，盐5克，葱10克，姜10克，白糖20克，酱油10克，醋10克，水豆粉30克，醪糟汁 10 克，上汤 200 克。

制作要领：鲇鱼剖腹后勿用水洗，入锅炸时油温要稍高；勿炸过久，皮紧即可。

制作工艺：鲜活鲇鱼从腹部开口，去掉内脏，用净布擦净血水，剁去嘴尖、尾梢、背部剁成连接段。大蒜选大小一致，修齐，洗净装碗中，加盐少许，加料酒，上汤少量，上笼蒸粑（音 pā，四川方言）取出晾凉。泡红辣椒（去籽）、葱分别切成节，姜切成小方片，郫县豆瓣剁细，香菜心洗净，掐成短节，沥干。炒锅置旺火上，下素油烧热（约 200℃），下鲇鱼稍炸，捞起，锅内留少量油，下豆瓣熻（音 lán，四川方言）至红色时，加入上汤，沸后捞去豆瓣渣，下鲇鱼、盐、酱油、白糖、醪糟汁、料酒、醋、泡红辣椒、葱、姜，沸后移至小火，加盖烧至鱼熟入味，放入蒸好的大蒜，烧至汁浓时，将鱼铲入盘中摆好。锅中下水豆粉勾芡成浓汁，烹入少许醋，起锅淋于鱼上。香菜心摆在盘中一端即成。

成菜特点：色泽红亮，鱼肉细嫩，大蒜粑糯，鲇香味醇。

（六）软烧仔鲇

软烧仔鲇为四川省名菜。是选用鲜活仔鲇，辅以独蒜和多种调味品烧制成而。含有丰富的蛋白质、脂肪、维生素 B_1、B_2、尼克酸，以及钙、磷、铁、钾和一定量的硒。

烹调类型：软烧而成的鱼香味型菜肴。

主料：鲜活仔鲇 4 尾（每尾约 150 克）。

配料：独蒜 50 克，郫县豆瓣 10 克。

调料：菜籽油 100 克，姜 10 克，盐 3 克，酱油 10 克，料酒 10 克，鲜汤 150 克，白糖 20 克，味精 0.5 克，水豆粉 15

克，辣椒油10克，葱10克，醋10克。

制作要领：鱼不裹芡粉，不用油炸，直接投入汤汁中烧；烧鱼时，火不要大，并注意将鱼翻面。

制作工艺：仔鲇鱼剖腹去内脏洗净，抹上少许盐。豆瓣剁细。炒锅置中火上，下菜籽油烧至约150℃时，将独蒜投入油中炸至皱皮，再下郫县豆瓣煵至红色，放姜末、精盐、酱油、料酒、鲜汤和鲇鱼，移至微火上慢烧，至蒜粑鱼熟入味，将鱼拣入盘中。锅移旺火上，加白糖、味精，用水豆粉勾芡收汁，起锅加醋、葱花、辣椒油推匀，淋于鱼上即成。

成菜特点：色泽红亮，鱼肉鲜嫩，鱼香浓郁。

（七）干煸鳝鱼

干煸鳝鱼为四川省家常名菜。是选用鲜活黄鳝为主料，配以芹黄、郫县豆瓣等多种调味品烹制而成。含有丰富的蛋白质、脂肪、维生素B_2、尼克酸，以及钙、磷、铁、钾、锌、硒等多种矿物质。具有补虚损、除风湿、强筋骨的功效。

烹调类型：经干煸制成的麻辣味型热菜。

主料：鲜活黄鳝500克。

配料：芹黄100克，郫县豆瓣20克。

调料：素油50克，料酒15克，姜、蒜各10克，盐3克，酱油10克，醋5克，麻油10克，花椒面5克。

制作要领：煸鳝鱼时，应热锅、滚油、中火，油量不要太多；待鳝鱼水分煸干，应先烹入料酒，以去腥味；为求酥香化渣，可移偏火略焙后，再加入其它调料。

制作工艺：选肚黄肉厚的鲜活黄鳝剖腹去骨，斩去头尾，切成约8厘米长、筷子头粗的丝；芹黄切成约4厘米长的节；

郫县豆瓣剁细。炒锅置火上，下素油烧至200℃，下鳝鱼丝煸至水分基本挥发后，烹入料酒，移偏火上略焙约3～4分钟，然后移正火上提锅煸炒，并下豆瓣煸至油呈红色，下姜、蒜丝炒匀，加盐、酱油、芹黄稍炒，淋少许醋和麻油和匀，起锅装盘，撒上花椒面即成。

成菜特点：色泽红亮，鲜香味浓，酥软化渣，富有川味特色。

（八）清蒸青鳝

清蒸青鳝为四川省筵席名菜。是选用鲜活青鳝、熟猪肥瘦肉、生猪网油、水发竹荪、鸡蛋等原料，加多种调味品制成。富含蛋白质、脂肪、维生素B_2、尼克酸，以及钙、磷、铁、钾、锌和硒等多种矿物质。具有补虚损，除风湿，强筋骨的功效。

烹调类型：经清蒸烹制而成的咸鲜味型汤菜。

主料：鲜活青鳝750克。

配料：猪网油50克，猪肥瘦肉100克，蛋清50克，竹荪50克，清汤750克。

调料：料酒15克，胡椒面3克，盐5克，花椒2克，味精1克，姜1克，醋20克。

制作要领：宰杀鳝鱼时，要用快刀在其眼后0.3厘米处，将头斩下；烫鳝的清汤温度要掌握好，约60℃较适宜。

制作工艺：青鳝杀后，放尽血，用热水烫去皮面的涎液（可用小刀轻刮鱼皮），剪去鱼翅。将鱼切成2厘米长的节（或先用刀将骨刺切断，把鳝身断为两截，抽去内脏）。在蒸碗中铺上网油，将鳝段立放在网油上；料酒加胡椒面、盐、花椒拌匀，淋于鳝段上；猪肉切成3.3厘米长、约0.5厘米厚的片，放在鳝段上，用草纸封上碗口，上笼蒸熟取出。另用蒸碗，放入蛋清和凉清汤搅匀，上笼蒸成白色芙蓉蛋，取出切块；竹荪切成2厘米长的段，在汤中汆熟。青鳝蒸碗取出后，加清汤过两次，滗干，翻扣于大圆盘中，揭去网油，周围镶上芙蓉蛋和竹荪。特级清汤烧沸，加盐、胡椒粉、料酒、味精上味后，倒入盘中，上席配上姜汁醋碟即成。

成菜特点：色白汤清，鳝肉鲜嫩肥美。

（九）翡翠虾仁

翡翠虾仁为四川省筵席名菜。是选用鲜虾仁，配嫩蚕豆、茨菰、熟瘦火腿、鸡蛋清等原料，加各种调味品烹制而成。富含蛋白质、脂肪、维生素A、维生素B_1和B_2及尼克酸等营养素，具有补肾壮阳的功效。

烹调类型：经熘烹制而成的咸鲜味型热菜。

主料：鲜虾仁300克。

配料：嫩蚕豆150克，茨菰50克，熟火腿50克。

调料：熟猪油150克，料酒20克，豆粉30克，蛋清25克，盐5克，胡椒粉3克。

制作要领：虾仁码汁不宜厚；蚕豆瓣可先入热猪油锅过一下；滋汁中不能搭色。

制作工艺：鲜虾仁洗净，沥干，用蛋清、豆粉、盐、料酒、胡椒粉拌匀；茨菰去皮与瘦火腿均切成1厘米方丁；选粒稍小色青的嫩蚕豆，去皮，分成两瓣；水豆粉加盐、料酒、胡椒粉调成滋汁。炒锅置火上，放猪油烧至约120℃，下虾仁，随即用竹筷将虾仁搅散，然后滗去余油，下火腿丁、茨菰丁和蚕豆瓣炒匀，烹入滋汁，翻簸几下，迅即起锅装盘即成。

成菜特点：虾肉洁白，蚕豆翠绿，火腿红艳，色艳美观。清鲜嫩滑。

（十）芹黄鱼丝

芹黄鱼丝为四川省乡土风味名菜。是选用鲜活鲤鱼为主料，配以芹黄（芹菜嫩心）、泡红辣椒和多种调味品制成。富含蛋白质、饱和脂肪酸，以及一定量的维生素 A 和 B_1、尼克酸，还含有钙、磷、铁等矿物质。常吃此菜，不但具有清热利尿的功效，而且还有降压祛脂、预防动脉硬化的食疗作用。

烹调类型：经熘、炒烹制而成的鱼香味型热菜。

主料：鲜活鲤鱼一条（约 750 克）。

配料：芹黄 200 克，泡红辣椒 30 克。

调料：蛋清 25 克，豆粉 30 克，料酒 10 克，盐 3 克，姜、蒜各 10 克，酱油 10 克，醋 10 克，白糖 20 克，香油 10 克，味精 0.5 克，熟猪油 150 克，上汤 30 克。

制作要领：鱼丝下锅的油温要掌握好，过高或过低都会影响成菜质量。

制作工艺：活鲤鱼宰杀，去鳞、鳃、内脏后洗净，擦干水分，对剖剔骨后，将鱼净肉切成长约 7 厘米、宽厚各 0.4 厘米的丝，蛋清和干豆粉搅匀，加料酒、盐和匀，与鱼丝拌匀；芹黄切成长约 7 厘米的节；泡红辣椒去籽后切成丝；姜、蒜切细粒；酱油、白糖、醋、味精、香油、水豆粉加好汤兑成芡汁。炒锅置旺火上，下猪油烧热（约 120～150℃），下码好味的鱼丝，随即将锅端离火口，用竹筷将鱼丝拨散，鱼丝变白后，滗去一部分油，锅内留余油约 50 克，再置火口上，鱼丝推至锅边，将锅稍倾斜，放入姜、蒜粒及泡红辣椒和芹黄煸炒出香味后，与鱼丝炒匀，烹入芡汁，翻簸推匀，起锅装盘即成。

成菜特点：鱼肉洁白鲜嫩，芹黄嫩脆适口，口味淡爽清雅。

（十一）金钱芝麻虾

金钱芝麻虾为四川省名菜。是选用鲜虾仁为主料，辅以猪肥膘肉、芝麻、土司、鸡蛋、生菜等料，加多种调味品制成。含有丰富的蛋白质、饱和脂肪酸、胡萝卜素、维生素 B_2、维生素 E，以及钙、磷、铁、硒等矿物质。

烹调类型：经炸制而成的咸鲜味型热菜。

主料：鲜虾仁 400 克。

配料：猪肥膘肉 400 克，芝麻 50 克，土司 100 克，鸡蛋 50 克，生菜 25 克。

调料：菜油 500 克，豆粉 50 克，盐 5 克，味精 0.5 克，胡椒粉 2 克，白糖 5 克，香油 5 克，醋 5 克。

制作要领：入锅炸时要注意火候，一次量不宜多，可分几次炸。

制作工艺：鲜虾仁、猪肥膘肉分别洗净捶茸，加鸡蛋清、盐、味精、胡椒粉、干豆粉混合搅成糁；芝麻洗净晾干；土司修成直径约 3.3 厘米、厚 0.6 厘米的片，共 24 片；蛋清加干豆粉搅匀成蛋清豆粉；生菜洗净用白糖、香油、醋拌好待用。将土司片平铺在案板上，先抹上蛋清豆粉，再将糁糊抹上，然后撒上芝麻（用手稍拍）。锅置火上，下菜油烧热（约 150℃），将土司粘有芝麻一面向下，投入锅中炸至呈金黄色时捞起装于盘的一端，另一端摆上拌好的生菜即成。

成菜特点：酥脆香嫩，咸鲜适口。

（十二）米熏鱼

米熏鱼为四川省名菜。是选用鲜鱼为主料，加多种调味品烹制而成。含有丰富的蛋白质、脂肪、钙、磷、铁等营养素。

烹调类型：经炸、熏烹制而成的烟香味型冷菜。

主料：鲜鱼一条（约1000克）。

调料：盐5克，料酒30克，酱油20克，姜10克，葱10克，素油1000克，白糖20克，鲜汤100克。

制作要领：鱼应选较大的；炸时不要炸得过老；收汁时不宜翻动，可用勺舀汁不断淋于鱼块上；烟熏时亦可用柏枝熏，则别有风味。

制作工艺：鲜鱼去鳞、鳃，剖腹洗净，去掉牙骨，斩成斧头块，用盐、料酒、酱油、姜片、葱段腌渍15分钟取出。锅置旺火上，下素油烧热（约200℃），下鱼炸至呈金黄色捞起；滗去锅内一部分油（留油约75克），下葱、姜，煵至变色出味后，去掉葱、姜，加料酒、白糖、酱油、鲜汤搅匀。将锅移中火上，下鱼块，至滋汁收干起锅。土钵装烧红的木炭，放入大米（约25克）烧至起烟，将鱼盛入筲箕或特制的熏笼内，烟熏几分钟取出。吃时切成条形装盘即成。

成菜特点：色泽褐红，咸甜酥香，烟香浓郁，别具风味。

（十三）软炸虾糕

软炸虾糕为四川省名菜。是选用鲜虾、鸡脯肉为主料，辅以猪肥膘肉、生菜和多种调味品制成。含有丰富的蛋白质、脂肪、碳水化合物、维生素 B_2、胡萝卜素，以及钙、磷、铁和硒等矿物质。

烹调类型：经蒸、炸烹制而成的咸鲜味型热菜。

主料：鲜虾 500 克。

配料：鸡脯肉 50 克，猪肥膘肉 100 克，生菜 50 克。

调料：大葱 10 克，鸡蛋清 25 克，豆粉 50 克，精盐 5 克，椒盐 25 克，胡椒粉 1 克，面酱 10 克，芝麻油 1 克。

制作要领：蒸、炸火候要掌握适当；炸时一次量不宜多，可分几次下锅。

制作工艺：鲜虾淘后挤仁洗净，剁成细粒；鸡脯肉、猪肥膘肉分别捶茸，加蛋清、水豆粉、盐、冷汤制成鸡糁后，加入料酒、胡椒面，和剁细的虾仁拌匀，装入盘内抹平，上笼用中火蒸至断生（约 5 分钟），取出晾冷后，用刀切成宽条，裹上一层细干豆粉。锅置火上，下熟猪油烧热（约 150～180℃），将虾糕条放入，炸至过心刚变色即捞起，淋香油装盘，镶上生菜、葱酱，另配椒盐碟即成。

成菜特点：外酥内嫩，味美鲜香。

（十四）叉烧鱼

叉烧鱼为四川省筵席名菜。是选用鲜活鲤鱼为主料，配以猪肥瘦肉、泡辣椒、芽菜、鲜生菜、猪网油等料，加多种调味品烹制而成。含有丰富的蛋白质、饱和脂肪酸、胡萝卜素、维生素 B_2、尼克酸，以及钙、磷、铁、硒等矿物质。

烹调类型：经明火烤制而成的咸鲜味型热菜。

主料：鲜活鲤鱼一条（约 750 克）。

配料：猪肥瘦肉 100 克，芽菜 50 克，泡辣椒 15 克，猪网油 500 克，生菜 50 克。

调料：料酒 30 克，酱油 10 克，盐 5 克，姜 10 克，葱 10 克，猪油 25 克，蛋清 50 克，豆粉 30 克，香油 15 克。

制作要领：码鱼用盘不用碗；为避免烤时鱼身断裂，可用一支削尖竹筷，从鱼嘴平穿插入鱼尾；烤时先慢慢转动，待皮紧后，动作要加快。

制作工艺：鲤鱼去鳞、鳃，剖腹去内脏，切去头尖、尾梢，揩干水分，在鱼身两面划上梯形块，用拌匀的料酒、酱油、盐、姜、葱等调料腌渍 5 分钟，取出揩干待用；猪肉、芽菜、泡辣椒（去籽）剁细，下锅用猪油炒成馅，填入鱼腹，用竹签锁住鱼腹。网油洗净晾干，平铺在案板上，先将鱼包裹一层，然后将剩余网油抹上蛋清豆粉，再将鱼包裹三、四层，然后用一小叉从鱼腹部刺入，鱼背穿出，放木炭火上烤制约 30 分钟。烤时不断翻转，至鱼表面呈金黄色时下叉。从鱼背处划破网油，刷上香油，抽出竹筷和竹签；网油除最内一层不用外，其余切成约 6 厘米长、3 厘米宽的片，镶于鱼侧，生菜切成细丝镶于盘的一角即成。此菜又叫包烧鱼。也有不镶生菜而配葱酱、火夹饼上席的。

成菜特点：油皮酥香，鱼鲜味浓，风味独特，佐酒尤佳。

（十五）南卤醉虾

南卤醉虾为四川省乡土风味名菜。是选用鲜活虾为主料，配葱白和豆腐乳汁、酱油、香油等调味品制成。含丰富的蛋白质、脂肪、维生素 A、维生素 E、维生素 B_1 和 B_2，以及钙、磷、铁、钾、锌、硒等矿物质。

烹调类型：经糟醉而制成的冷菜。

主料：鲜活虾 500 克（每只长 3～5 厘米为佳）。

配料：葱白 100 克。

调料：豆腐乳汁 50 克，酱油 10 克，味精 0.5 克，香油 10 克。

制作要领：为保持虾的鲜活度，虾枪、虾须、虾脚在上桌前 5 分钟剪去为好。

制作工艺：鲜活虾用清水洗净泥沙，剪去虾枪、须、脚，放于盘内，淋上曲酒；葱白切成约 3.5 厘米长的段，均匀地摆在虾的上面，扣上碗即是醉虾。豆腐乳汁、酱油、味精、香油调匀，即成南卤，随醉虾同上桌。食时揭开扣碗，将醉虾蘸卤汁就葱白同食。

成菜特点：鲜虾醉态可掬，入口鲜美醇香。

（十六）腐皮虾包

腐皮虾包是四川省名菜。又名软炸虾包。是选用鲜虾仁为主料，配以干豆油皮、熟肥腰肉、熟火腿、茨菰、蘑菇、鲜豌豆、莲白等料，加多种调味品烹制而成。含有丰富的蛋白质、不饱和脂肪酸、维生素 A 和 B_1、尼克酸，以及钙、磷、铁、钾、锌、硒等矿物质。

烹调类型：经炸烹制而成的鲜咸味型热菜。

主料：鲜虾仁 400 克。

配料：肥膘肉 50 克，熟火腿 25 克，茨菰 50 克，蘑菇 25 克，鲜豌豆 75 克，莲白 25 克，干豆油皮 250 克。

调料：蛋清 50 克，豆粉 60 克，料酒 10 克，盐 3 克，胡椒粉 2 克，味精 1 克，白糖 10 克，醋 10 克，椒盐 20 克，清油 500 克，香油 20 克。

制作要领：主配料要切细粒，加蛋要打上劲，豆油皮大小要一致，包的馅料分量要相等，炸制要用温油浸炸。

制作工艺：鲜虾仁洗净，沥干，切成细粒；肥膘肉、火腿、去皮茨菰、蘑菇分别切成细粒；鲜豌豆用开水汆后漂凉，去掉外皮，蛋清和干豆粉调成稀糊。把切好的肥膘肉、火腿、茨菰、蘑菇、豌豆末、虾仁一并入碗，加盐、料酒、胡椒粉、味精拌匀，再加入蛋清糊搅匀成馅心。干豆油皮用热纱布盖严回软后，切成约 8 厘米见方的片，共切 24 片。将每一片豆油皮平铺在案板上，放入馅心包成长方扁形，交口处抹上蛋清糊，再放入干豆粉内沾满细干豆粉。锅置火上下油烧热，下虾包炸呈黄色，捞起整齐地摆于盘内，淋上香油。将莲白切丝，加糖醋汁拌匀，摆于盘的一端，另配椒盐碟上桌即成。

成菜特点：色形美观，腐皮酥脆，馅鲜滑嫩，虾味鲜香。是佐酒佳品。

（十七）豆豉鱼

豆豉鱼是四川省名菜。是选用鲜鱼净肉，配潼川豆豉和多种调味品制成。含有丰富的蛋白质、脂肪、维生素 A，以及钙、磷、铁等矿物质。

烹调类型：经炸、烧烹制而成的咸鲜味型冷菜。

主料：鲜鱼肉 450 克。

配料：潼川豆豉 50 克。

调料：素油 500 克，葱 15 克，蒜 15 克，料酒 10 克，盐 5 克，酱油 10 克，鲜汤 50 克，胡椒 2 克，香油 10 克，姜 10 克。

制作要领：鱼不要炸得过久，以防鱼肉不鲜嫩。

制作工艺：鲜鱼肉洗净，切成长5厘米、宽1.2厘米的条形，用姜片、葱节、盐、料酒、胡椒粉拌匀腌渍码味。豆豉剁细粒，葱切成长约3厘米的节，蒜切成圆片。锅置火上，下素油烧至约200℃，放入鱼条，炸至呈金黄色时捞起，倒去锅内油，另放少量干净素油烧热，下豆豉炒干水分，下葱节、蒜片稍炒，倒入鱼条，加料酒、盐、酱油、鲜汤、胡椒粉炒匀略烧，改用小火收至汁浓将干时，加入香油，起锅装盘晾凉。食用时，将鱼条摆在盘内，去掉葱、蒜，原汁淋在鱼上即成。

成菜特点：鲜香酥软，豆豉味浓，风味别致，是佐酒佳肴。

（十八）葱辣鱼

葱辣鱼为四川省名菜。是选用鲜鱼净肉，配姜葱、泡辣椒及多种调味品制成。含有丰富的蛋白质、脂肪、维生素A和B_1，以及钙、磷、铁等矿物质。

烹调类型：经炸、烧烹制成的咸鲜味型冷菜。

主料：鲜鱼肉400克。

配料：葱50克。

调料：盐5克，料酒20克，姜15克，素油500克，泡辣椒15克，鲜汤50克，酱油10克，白糖15克，醋5克，香油、辣椒油各5克，胡椒粉2克。

制作要领：收汁的浓度要适宜，以泻与盘底为度。

制作工艺：鲜鱼肉洗净，切成长约6厘米、宽约2厘米的条形，用盐、料酒、姜葱、胡椒粉拌匀，腌渍码味后，去尽汁水和姜葱。锅置旺火上，下素油烧热至200℃左右，下鱼条炸至呈黄色时捞起；倒去锅内油，另放素油入锅烧热，下葱段煸炒出香味，再下姜片、辣椒节稍煸，加入鲜汤、盐、酱油、料酒和少许白糖、醋，待沸下鱼条，用中火烧至汁浓将干时，加入香油、辣椒油，起锅入盘晾凉。食用时以葱垫盘底，上放鱼条，去掉姜片和辣椒节，原汁淋于鱼条上即成。

成菜特点：色润黄亮，质地软酥，咸鲜味美，葱香微辣。

（十九）黄焖鲇鱼头

黄焖鲇鱼头为四川省筵席名菜。是选用鲜鲇鱼头，配大蒜、猪肥膘肉、鸡足、鸭掌、白菌、金钩及多种调味品制成。富含蛋白质和脂肪，易于消化。尤宜于年老体弱者食用，具有补养之功用。

烹调类型：经炸、烧烹制而成的咸甜味型热菜。

主料：鲇鱼头一个（应选个稍大者）。

配料：鸡足50克，鸭掌50克，白菌25克，猪肥膘肉50克，金钩10克，大蒜25克。

调料：猪油150克，料酒10克，葱姜各10克，酱油10克，红酱油10克，冰糖20克，鸡汤750克。

制作要领：炸的时间勿过久；烧时要微火慢烧。

制作工艺：鲇鱼头去鳃和牙板骨，洗净，对准鱼口从鱼顶骨处砍开（不要砍断）；鸡足、鸭掌洗净，去掉粗皮；白菌洗净，发透（稍大的可剖成两半）；猪肥膘肉切成约3厘米长、1厘米粗的条。炒锅置旺火上，下猪油烧至约200℃，放入鱼头稍炸，并烹入料酒，至鱼头略呈黄色时捞出；滗去一部分油（锅内留油约75克），将猪肉、鸡足鸭掌同料酒、葱姜放入稍煵，加入鸡汤，烧沸去尽浮沫。烧锅底垫上篾箅，再垫上鸡足、鸭掌，然后将鱼头、猪肉及汤汁全部倒入，加酱油、红酱油、金钩、白菌等，置小火上慢烧约30分钟至熟，待汤汁约剩1/3时，去掉葱姜、猪肉、鸡足、鸭掌等，然后加入冰糖和蒸好的大蒜，烧至冰糖熔化，汤汁浓稠起锅，盛于大盘内即成。

成菜特点：肉质细嫩，汁稠色亮。

（二十）四味鲍鱼

四味鲍鱼为四川省筵席名菜。是选用听装鲍鱼，配粉皮及多种味碟制成。含丰富的蛋白质和维生素A、维生素E，以及多种矿物质。

烹调类型：经煮烹制而成的多种味型冷菜。

主料：听装鲍鱼500克。

配料：粉皮250克。黄果或青笋75克

调料：椒盐25克，怪味汁30克，芥末25克，芝麻酱30克（或姜汁25克，蒜泥25克，椒油15克）。

制作要领：鲍鱼片要厚薄一致；所配味碟要搭配得宜，使浓淡相当。

制作工艺：听装鲍鱼取出，入锅煮至刚熟捞出，片成薄片；粉皮煮熟后修成大小相仿的片；黄果或青笋雕刻成任意的花型。先将粉皮铺在盘底，上铺鲍鱼片，周围用雕成花型的黄果或青笋点缀，配上椒麻、怪味、芥末、麻酱四种味碟即成。（近年来，此菜所配味碟又增加了红油味、姜汁味、蒜泥味、鱼香味四种。即所配味碟已随食客需求，可灵活调整）。

成菜特点：色泽淡雅，肉质鲜嫩，鲍鱼本味尽存，且一菜多味，独具特色。

（二十一）茄汁鱼卷

茄汁鱼卷为四川省筵席名菜。是选用鲜鱼净肉，配猪肥瘦肉、茨菰、冬菇、番茄酱等料，加多种调味品制成。含有蛋白质、脂肪、碳水化合物、维生素 B_1、B_2、C、尼克酸，和钙、磷、铁等营养素。

烹调类型：经炸、熘烹制而成的咸鲜味型菜肴。

主料：鲜鱼肉 400 克。

配料：番茄酱 50 克，猪肥瘦肉 50 克，茨菰 50 克，冬菇 50 克。

调料：盐 5 克，料酒 30 克，菜油 500 克，胡椒粉 2 克，姜、蒜各 10 克，蛋清 25 克，豆粉 30 克，鲜汤 50 克，白糖 10 克，醋 5 克，葱 10 克。

制作要领：鱼片要片整齐，厚薄均匀；裹馅不要过多(也有裹冬笋、冬菇 、姜丝的)；番茄酱要炒出酸味。

制作工艺：鱼肉洗净，揩干水分，横切成连刀片，加盐、料酒、胡椒粉、姜蒜腌渍码味；猪肉、茨菰、冬菇分别剁成细粒入碗，加盐、胡椒粉、料酒、蛋清、豆粉和匀成馅。将码好味的鱼片铺于案上，裹上适量的馅，卷成大小一致的卷，然后抹上一层蛋清糊，并一一放入干豆粉内沾满细干豆粉。炒锅置火上，下菜油烧热，先用温油炸至定形捞出，待油温升高，再放入鱼卷炸呈金黄色捞起，沥干油。倒出锅中余油，另放净菜油烧热，下番茄酱炒至油呈红色时，下葱蒜炒出香味，加鲜汤、盐、胡椒粉、料酒、白糖和少许醋调味，待出香味，打去料渣，用水豆粉勾成二流浓汁，下鱼卷翻炒匀，起锅即成。

成菜特点：色润红亮，皮酥质嫩，茄汁香醇，回味甜酸，冷、热食均可。

（二十二）豆腐鲫鱼

豆腐鲫鱼为四川省名菜。是选用鲜活鲫鱼、豆腐、芹菜心，加郫县豆瓣、醪糟汁等多种调味品烹制而成。含有丰富的蛋白质、脂肪、多种维生素和矿物质。并有补虚滋阴的食疗作用。

烹调类型：经烧烹制而成的家常味型热菜。

主料：鲜活鲫鱼三条（每条约 150 克）。

配料：豆腐 300 克，芹菜心 50 克。

调料：郫县豆瓣 20 克，醪糟汁 10 克，盐 5 克，素油 250 克，鲜汤 200 克，葱、姜、蒜各 10 克，辣椒油 5 克，淀粉 15 克，味精 0.5 克。

制作要领：火不宜大，汤不宜多，芡不宜厚，豆腐形勿弄烂。

制作工艺：鲜活鲫鱼去净鳞、鳃、内脏，在鱼身两面用刀各划三刀，抹盐码起；豆腐打成 4.5 厘米见方、厚 1 厘米的块，先入沸水中氽一下捞起，再用鲜汤加少许盐煵在小火上备用；芹菜心切细花，豆瓣剁细，葱、姜、蒜均切细。炒锅置火上，加素油烧热，下鲫鱼煎至两面呈浅黄色时捞起。锅内余油约 75 克，下豆瓣煵呈红色，出香味时，下汤稍熬，去净渣子，下鱼，并加味精、醪糟汁和匀，将煵好的豆腐放入同烧至鱼熟，把鱼先拣入盘内，锅内勾芡收汁，放入葱、姜、蒜粒和辣椒油，起锅倒在鱼上，撒上芹菜花即成。

成菜特点：色泽红亮，豆腐嫩而不烂，味浓鲜香微甜。

（二十三）泡菜鱼

泡菜鱼为四川省风味名菜。是选用鲜活鲫鱼加泡青菜和多种调味品烹制而成。含有丰富的蛋白质、不饱和脂肪酸、维生素 B_1、B_2、尼克酸、及钙、磷、铁等营养素。且有补虚滋阴的食疗作用。

烹调类型：经烧烹制而成的家常味型热菜。

主料：鲜活鲫鱼三条（每条约 150 克）。

配料：泡青菜 50 克。

调料：泡辣椒 15 克，姜、蒜各 10 克，葱 15 克，菜油 500 克，醪糟汁 10 克，料酒 10 克，酱油 10 克，鲜汤 150 克，香油 10 克，淀粉 15 克。

制作要领：炸鱼时火不宜大，烧鱼时汤不要太多，以刚淹过鱼身为宜。

制作工艺：鲫鱼去鳞、鳃，剖腹去内脏后洗净。在鱼身两面各立划几刀；泡青菜（只用菜帮）切成 1．5 厘米长的细丝；泡辣椒、姜、蒜剁细末，葱切成细花。炒锅置旺火上，倒菜油烧热至约 200℃，放入鲫鱼炸约 3 分钟至两面略黄，滗去部分油，锅内留油约 100 克，将鱼推至锅边，下泡辣椒、姜、蒜、醪糟汁、葱煵出香味。再依次放入料酒、酱油、汤等，鱼推回锅中，用中火烧沸，放入泡青菜烧约 10 分钟（烧的过程中翻面），待鱼入味后捞起装入盘内，锅内放葱花、香油，勾薄芡后，将汁浇在鱼上即成。

成菜特点：鲫鱼细嫩，咸鲜适口，略带酸辣，具有浓郁的四川地方风味特色。

（二十四）凉粉鲫鱼

凉粉鲫鱼为四川省名菜。是选用鲜活鲫鱼、白凉粉、猪网油加多种调味品烹制而成。含有较高的蛋白质、脂肪、碳水化合物，及钙、磷、铁等营养素。并具有滋阴补虚的食疗作用。

烹调类型：经蒸、煮、拌烹制而成的麻辣味型热菜。

主料：鲜活鲫鱼一条（约750克）。

配料：白凉粉250克。

调料：料酒15克，猪网油200克，盐5克，红油15克，豆豉10克，蒜泥5克，芽菜末10克，葱花5克，花椒油5克。

制作要领：鱼蒸的时间要适当；鱼出笼应与凉粉加热同时进行；凉粉不要把鱼全盖住。

制作工艺：活鲫鱼拍昏后，去鳞、鳃、内脏，洗净，在鱼身两侧各划几刀，抹上料酒、盐，用猪网油包好，放入蒸碗，上笼蒸至熟（约15分钟）。凉粉切成约1.3厘米见方的小块，入清水锅煮开，捞起滤干，加上由红油、豆豉、蒜泥、芽菜末、葱花、花椒油等配合好的调料和匀；将蒸好的鱼取出，去掉网油，拈鱼入盘，倒上和好的凉粉即成。

成菜特点：色红亮，味麻辣，香味浓，鱼细嫩，造型质朴。有浓郁的四川乡土气息。

（二十五）豆瓣鲫鱼

豆瓣鲫鱼为四川省传统名菜。是选用鲜活鲫鱼加郫县豆瓣等多种调味品烹制而成。富含蛋白质、脂肪、维生素 B_1 和

B_2、尼克酸，以及钙、磷、铁等矿物质。具有益气健脾，清热解毒，通脉下乳，利尿消肿之功效。

烹调类型：炸、烧而成的鱼香味型菜肴。

主料：鲜活鲫鱼三条（每条约150克）。

调料：郫县豆瓣20克，料酒10克，盐5克，姜10克，葱10克，蒜10克，酱油5克，白糖10克，醋10克，鲜汤150克，素油500克，淀粉15克。

制作要领：炸鱼时油温要适宜；炸的时间不可太长，鱼皮紧、稍硬即可；烧鱼时应用小火。

制作工艺：将鲫鱼去鳞、鳃、内脏洗净后，在鱼身两侧各剞两刀，抹上料酒、盐腌渍；郫县豆瓣剁细；姜、蒜切丝，葱切细花。炒锅置旺火上，下油烧热（约200℃），放入鲫鱼稍炸即捞起。锅内留油约75克，下郫县豆瓣、姜、蒜煸出香味并呈红色时，放入鲫鱼、鱼汤、酱油、盐、白糖，移小火烧至鱼熟入味时，将鱼捞出摆于盘中，用旺火收汁、勾芡，烹入醋推转，撒上葱花起锅，淋于鱼上即成。

成菜特点：色泽红亮，咸鲜微辣，略带甜酸，肉质细嫩。

（二十六）干烧鲫鱼

干烧鲫鱼为四川省名菜。是选用鲜活鲫鱼、猪肥瘦肉，配泡红辣椒、葱、姜、蒜及醪糟汁、酱油等多种调味品制成。含有丰富的蛋白质、不饱和脂肪酸、维生素B_1、B_2、C、尼克酸，钙、磷、铁等营养素。且有补虚滋阴的食疗功用。

烹调类型：经煎、干烧烹制而成的咸鲜味型热菜。

主料：鲫鱼两条（每条约350克）。

配料：猪肥瘦肉100克。

调料：泡红辣椒 15 克，葱 15 克，姜、蒜各 10 克，菜油 300 克，醪糟汁 10 克，白糖 15 克，酱油 10 克，鲜汤 100 克，香油 10 克，盐 5 克。

制作要领：鱼身所划刀纹不要太深；烧时汤不宜多，须自然收汁。

制作工艺：鲫鱼去鳞、鳃、内脏后洗净，在鱼身两面用斜刀各划几刀（刀深 0.3 厘米），抹上少许盐，猪肥瘦肉剁成末，葱切成长约 6 厘米的段，泡红辣椒切成 4 厘米长的节（去蒂、籽），姜、蒜剁细末。炒锅置旺火上，倒菜油烧热至 200℃，放入鲫鱼煎至两面呈黄色铲出。锅内下猪肉炒酥，下姜、蒜、泡红辣椒煵呈红色，放入鱼、醪糟汁、白糖、酱油、鲜汤，在中火上烧约 10 分钟，将鱼翻面再烧至汁干亮油时，拣鱼入盘，锅内淋香油，下葱花（将锅离火），和匀，淋于鱼上即成。

成菜特点：色金黄油亮，肉细嫩鲜美，味香醇浓郁。

（二十七）葱酥鲫鱼

葱酥鲫鱼为四川省名菜。是选用鲜活鲫鱼，加葱白，配醪糟汁、冰糖、泡辣椒等多种调味品制成。含有蛋白质、不饱和脂肪酸，B 族维生素和钙、磷、铁等营养素。具有补虚滋阴功效。

烹调类型：经炸收烹制而成的咸鲜味型冷菜。

主料：鲜活鲫鱼 10 条（每条约 50 克）。

配料：葱白 100 克。

调料：料酒 20 克，盐 5 克，泡辣椒 10 克，冰糖 15 克，素油 500 克，酱油 10 克，味精 0.5 克，鸡汤 50 克，香油 10

克，醪糟汁 10 克。

制作要领：鱼要炸酥；收汁时要小火慢收，全部亮油起锅。

制作工艺：鲫鱼去鳞、鳃、内脏洗净，用料酒、盐腌渍；葱白切成长约 8.5 厘米的段；泡辣椒切去两头，去籽；冰糖入锅炒成金黄色的糖汁。炒锅置火上，下素油烧热，下葱白煵至半熟，取出一半；锅内下料酒、酱油、味精、鸡汤、糖汁烧开备用。另用炒锅下素油烧至约 200℃，下鱼炸酥（呈金黄色）捞起，滗去锅内余油，将先前取出的葱白放于锅底，鲫鱼放在葱白上，再将另一半葱白捞出盖于鱼上，把烧好的滋汁倒入，移至文火上㸆收，待滋汁稍干，放入香油、醪糟汁，慢收至汁干亮油时起锅，待冷后拣鱼装盘，淋上少量原汁即成。

成菜特点：肉嫩骨酥，爽口化渣，咸鲜味美，略带甜酸。

（二十八）水煮鱼片

水煮鱼片为四川省名菜。是选用鲜鱼净肉加白菜心、芹菜心、青蒜苗、鸡蛋和郫县豆瓣干辣椒、花椒等多种调味品烹制而成。含有较高的蛋白质、不饱和脂肪酸，维生素 B_1、B_2、尼克酸，以及钙、磷、铁等营养素。

烹调类型：经滑、煮烹制而成的麻辣味型热菜。

主料：鲜鱼肉 400 克。

配料：白菜心 50 克，芹菜心 50 克，青蒜苗 25 克。

调料：蛋清 25 克，干豆粉 30 克，盐 5 克，料酒 20 克，味精 0.5 克，干辣椒 10 克，花椒 5 克，豆瓣 20 克，素油 100 克，鸡汤 50 克，蒜 5 克，葱 10 克，胡椒面 3 克。

制作要领：重在调味，要突出麻、辣、香鲜，氽鱼片要水沸，快速，出鱼片才鲜嫩。

制作工艺：鱼肉去皮洗净，搌干水分，用刀片成宽约3厘米、长约5厘米、厚约0.3厘米的片；蛋清加干豆粉调成蛋清豆粉糊；鱼片用盐、料酒、味精拌匀，再用蛋清豆粉糊上浆。白菜心去筋，撕成长块，芹菜心撕去筋，青蒜苗去皮，分别切成4厘米长的节；干辣椒去蒂、籽，切成节，花椒去黑籽，豆瓣剁细。炒锅置火上，下素油烧热，下辣椒节炒成棕红色，放入花椒炒酥一并捞出，油另装入碗。将辣椒节、花椒一起剁成细末。锅内放底油，下豆瓣煵酥，装入碗。锅内再放油烧热，下白菜心煸炒，放入盐、料酒炒匀，下芹菜心、青蒜苗稍炒，起锅放入窝盘内作底。炒锅置火上，加入适量鸡汤，放入炒酥的豆瓣，烧沸，下蒜片、盐调味，然后将鱼片放入轻轻滑散，待鱼片熟，汤汁浓稠时，下葱节、胡椒面，起锅舀入窝盘内，撒上剁细的辣椒、花椒，再将炒辣椒、花椒的油淋于上面即成。

成菜特点：色红汁浓，鱼片细嫩，烫而鲜美，麻辣突出。冬季食之尤佳。

（二十九）椒盐鱼卷

椒盐鱼卷为四川省名菜。是选用鲜活鲤鱼、熟火腿、鲜笋、冬菇等原料，加多种调料烹制而成。含有丰富的蛋白质、不饱和脂肪酸，B族维生素和矿物质，且有利尿消肿，清热解毒功效。

烹调类型：经蒸、炸烹制而成的椒盐味型热菜。

主料：鲤鱼一条（约750克）。

配料：熟火腿50克，鲜笋65克，冬菇25克。

调料：料酒15克，盐5克，姜5克，葱10克，蛋清10克，豆粉20克，菜油500克，香油10克，椒盐10克。

制作要领：鱼片要薄；封口处要用蛋清豆粉粘牢。

制作工艺：鲤鱼去鳞、鳃、内脏洗净，将鱼肉片成长约5厘米、宽4厘米的薄片，加料酒、盐、姜、葱腌渍入味；火腿、鲜笋、冬菇切成5厘米长的粗丝。将各种丝取一根放在一张鱼片的一端，裹成卷筒，交口处抹蛋清豆粉糊粘好，装入蒸碗，上笼蒸三分钟。锅内放菜油烧热至200℃左右，将蒸过的鱼卷裹一层干豆粉入锅，炸至呈金黄色时滗去油，另加香油颠匀，起锅装盘，配上椒盐碟即成。

成菜特点：色泽金黄，脆嫩适口。

（三十）大千干烧鱼

大千干烧鱼为四川省创新名菜。此菜原系国内外著名书画大师、蜀人张大千先生之家传名菜，由四川省内江市市中区烹饪协会发掘创制，其选用鲜活鲤鱼，配猪肥瘦肉，加泡辣椒、郫县豆瓣、川盐、料酒等多种调味料烹制而成。含有较高的蛋白质、脂肪、维生素B_1、B_2、尼克酸、和钙、磷、铁等营养素。

烹调类型：经煎、烧烹制而成的家常味型热菜。

主料：鲜活鲤鱼一条（约750克）。

配料：猪肥瘦肉50克。

调料：泡辣椒15克，郫县豆瓣20克，川盐5克，料酒10克 酱油10克，姜、葱、蒜各10克，菜油250克，熟猪油50克，鲜汤50克，白糖10克，胡椒1克，醋10克。

制作要领：要用混合油，鱼要煎不要炸，要注重调味，突出鲜、辣、香。

制作工艺：鲤鱼去鳞、鳃、内脏后洗净，在鱼身两面斜划七、八刀，码川盐入味；猪肉剁碎；泡辣椒去蒂、籽；郫县豆瓣剁细。炒锅置旺火上，下熟菜油烧热（约120℃），再加入猪化油烧热（约180℃），下鱼煎至两面呈浅黄色时，将鱼拨至锅边，锅内留油约50克，放入猪肉煵至酥香，下泡辣椒、豆瓣和姜、蒜末炒至油色红亮，再将鱼推回锅中，下料酒、鲜汤、酱油、白糖、胡椒、醋，锅移中火上烧至汁干、亮油时，下葱花，盛起装盘即成。

成菜特点：色泽红亮，色白细嫩，咸鲜微辣，味浓香醇。

（三十一）干烧岩鲤

干烧岩鲤为四川省传统名菜。是选用鲜活岩鲤、猪肥瘦肉，加郫县豆瓣、姜、蒜等多种调味品烹制而成。含有丰富的蛋白质、脂肪、维生素 B_1、B_2、尼克酸、钙、磷、铁等营养素，且具有清热解毒，补益虚损和利尿消肿等食疗作用。

烹调类型：经干烧烹制而成的家常味型热菜。

主料：岩鲤一条（约750克）。

配料：猪肥瘦肉50克。

调料：郫县豆瓣20克，姜、蒜各10克，料酒15克，盐5克，菜油500克，鲜汤50克，醪糟汁10克，糖10克，醋10克，味精0.5克，葱10克。

制作要领：㸆鱼须用小火，使其自然收汁；为免鱼皮粘锅，可在鱼烧至该翻面时换锅另烧。

制作工艺：岩鲤整治干净后，在鱼身两面各剞数刀（刀距3厘米，刀深约0.7厘米），然后抹上料酒、盐腌渍入味；

猪肉、姜、蒜分别切成细粒，豆瓣剁细。炒锅置旺火上，下油烧热到180～220℃，放鱼入锅稍炸至鱼皮略皱稍硬，色呈黄色时捞起；锅内留油少许，下猪肉炒至酥香盛起；再下油约100克，烧热，下豆瓣煵出香味，油呈红色时掺入鲜汤，沸后捞去豆瓣渣，放入鱼、猪肉、姜蒜粒、醪糟汁、盐、糖、醋等，然后移至小火烤起，并注意适时将锅摇动，以免鱼皮粘锅。待汁稠鱼熟，加入味精、葱，把锅端起，不断将汁舀淋于鱼身上，待亮油时将鱼轻抄起入盘，锅内汁浇于鱼身即成。

成菜特点：鱼形完整，色泽红亮，咸鲜微辣，略带回甜，细微爽口。

（三十二）砂锅雅鱼

砂锅雅鱼为四川省传统名菜。是选用雅安县特产雅鱼，加熟鸡油、熟猪肚、舌及熟火腿、水发鱿鱼、虾米、香菌、豆腐等配多种调味品烹制而成。含有丰富的蛋白质、脂肪、维生素E、B_1、B_2、尼克酸，和钙、磷、铁等营养素。具有动植物蛋白质的互补作用。

烹调类型：经煮烹制而成的咸鲜味型热菜。

主料：雅鱼300克。

配料：熟鸡肉30克，熟猪肚、舌各20克，熟火腿20克，水发鱿鱼20克，虾米、香菌各15克，豆腐50克。

调料：姜、葱各10克，料酒15克，盐5克，奶汤15克，鲜汤50克，胡椒粉2克，味精1克，鸡油10克。

制作要领：辅料量不要太多；火候和煮的时间要掌握好。

制作工艺：雅鱼去鳞、鳃、内脏，用料酒、盐稍腌渍；鸡颈骨、腿骨垫于砂锅底，腌入味的鱼放鸡骨上；鸡肉、猪肚、猪舌、豆腐切成条（长4厘米、宽约1.5厘米），火腿切成薄片，连同香菌、姜片、葱、胡椒粉、盐、料酒放入砂锅内，加入奶汤，在旺火上烧沸，然后移至微火上㸆熟（约1小时）。鱿鱼片成薄片，用鲜汤汆后，捞起沥干放入砂锅内，稍煮，将砂锅端起，放入味精，淋上鸡油，原锅上桌。

成菜特点：主料细嫩、鲜美，辅料丰富，香气扑鼻，汤味鲜美，具有乡土风味。

（三十三）独蒜烧石爬鱼

独蒜烧石爬鱼为四川省名菜。是选用石爬鱼，配四川特产独头蒜和芹菜，加郫县豆瓣、泡红辣椒、姜、料酒等多种调辅料烹制而成。含有较丰富的蛋白质、脂肪，维生素B_1、B_2、尼克酸，以及钙、磷、铁等营养素。

烹调类型：经软烧烹制而成的鱼香味型热菜。

主料：石爬鱼两条（每条约200克）。

配料：独蒜100克，芹菜20克。

调料：泡辣椒15克，熟菜油50克，郫县豆瓣20克，姜10克，料酒10克，白糖10克，酱油10克，醋10克，味精1克，葱10克，鲜汤50克，水豆粉20克。

制作要领：鱼剖腹时注意勿伤苦胆，剖后不用水洗；鱼不用油炸，直接入锅用小火慢烧。

制作工艺：鱼剖腹去内脏、鳃，揩净；独蒜去皮，泡辣椒剁细，芹菜切细花。炒锅置旺火上，放熟菜油烧热至150～180℃，将独蒜入锅炸至皮皱捞起；再下郫县豆瓣、泡辣椒、姜末煵出香味，掺鲜汤稍煮，打去渣，加料酒、酱油、白糖烧开，下鱼移至小火烧至熟软时，将鱼捞起盛于盘中。锅内加味精、葱花、芹菜花，勾芡收汁，下醋推转，起锅淋于鱼上即成。

成菜特点：色泽红亮，鱼肉细嫩，鲜香醇浓。

（三十四）清蒸江团

清蒸江团为四川省传统名菜。是选用鲜江团鱼、猪网油、冬菇、火腿等料加多种调味品烹制而成。含有丰富的蛋白质、脂肪，B族维生素和多种矿物质，且有滋阴补虚的食疗作用。

烹调类型：经清蒸烹制而成的姜汁味型热菜。

主料：江团鱼（长吻鮠）1000克。

配料：猪网油100克，冬菇25克，火腿25克。

调料：料酒15克，盐10克，姜20克，葱白10克，清汤500克，醋15克。

制作要领：江团须先入沸水汆烫，以去腥味；上笼后不能停火，时间要掌握好；所加清汤质量要高；味碟配合要好，应是姜、醋、盐三者基本平衡。

制作工艺：鱼去鳃、内脏，洗净，入沸水汆烫至鱼皮伸展、色呈灰白时捞起，用清水漂冷后，用小刀轻轻刮去鱼体表的涎液洗净，在鱼身两侧肉厚处划柳叶刀纹，然后用料酒、盐、姜片、葱白浸渍码味；冬菇、火腿切成片，放在盘底，用猪网油将码好味的江团包好，放入盘中，入笼大火蒸熟（约30～40分钟），取出，去掉网油，将特制清汤烧沸，调好味，倒入盘中。上桌时配上姜醋味碟即成。

成菜特点：形色美观，质软细嫩，清鲜味醇，风味独具。

（三十五）红烧团鱼（甲鱼）

红烧团鱼为四川省名菜。是选用鲜活团鱼、鸡翅、猪五花肉，配独蒜和多种调味品烹制而成。含有丰富的蛋白质、脂肪、维生素B族和多种矿物质，且具有滋阴补虚，强壮身体的功效。

烹调类型：红烧、㸆烹制而成的咸鲜味型热菜。

主料：鲜活团鱼一只（约1000克）。

配料：猪五花肉300克，鸡翅500克。

调料：独蒜100克，熟猪油30克，葱20克，姜15克，酱油20克，料酒30克，鸡汤100克，胡椒面2克，味精1克，鸡油10克。

制作要领：团鱼要去尽腥味、㸆粑。

制作工艺：猪五花肉洗净切成块；鸡翅去尖，剁成两段与猪肉块一起入沸水氽5分钟，去尽浮沫捞出。锅置旺火上，放熟猪油烧热，下葱、姜、猪肉、鸡翅煸炒约5分钟，加酱油、料酒和鸡汤烧沸，倒入砂锅㸆起；独蒜上笼蒸粑；团鱼杀后，放净血，入沸水锅氽约15分钟，用小刀将全身粗皮刮净，去脚爪、内脏，剁成约6厘米的块，入沸水煮几分钟，用清水漂约15分钟，再用高汤加姜、葱白、料酒，在微火一上氽去腥味，捞起放入㸆鸡翅的砂锅内，㸆至肉粑汁浓时，将鸡翅捞起放于盘中，团鱼块盖在鸡翅上。猪肉捞出作他用。砂锅置旺火上，将蒸粑的独蒜放入，待滋汁收浓时，加胡椒粉、味精、鸡油和匀，淋于盘中即成。

成菜特点：色泽金黄，味浓鲜美，肉烂可口，富有营养。

（三十六）瑞气吉祥

瑞气吉祥为四川省创新名菜。其名以鳖之别称“山瑞”引伸而为“瑞气吉祥”，取吉祥之意。此菜以鳖（俗称甲鱼、团鱼）为主料，配水发刺参、听装鲍鱼、火腿、干贝、独蒜等料，加红酱油、川盐、冰糖、姜等多种调味品烹制而成。含有极其丰富的蛋白质、脂肪，B族维生素、矿物质，并具有滋阴补虚，强身健体的功效。

烹调类型：经㸆、蒸烹制而成的鲜香味型菜肴。

主料：鳖一只（约1000克）。

配料：水发刺参100克，鲍鱼100克，鸡肉50克，冬菇20克，火腿40克，冬笋40克，干贝50克，红樱桃1颗，黄色蛋粑适量。

调料：熟猪油80克，姜20克，葱15克，鸡汤50克，酱油10克，料酒10克，冰糖10克，胡椒粉2克，独头蒜50克，肉汤100克，麻油10克，味精1克，盐5克。

制作要领：鳖要去尽血污和腥味；㸆时要小火慢㸆以使味醇。

制作工艺：将鳖断颈，放尽血，入冷水中稍浸泡，再入沸水中氽一次，捞起放入温水中用小刀划去背部和裙边的黑皮，用手撕净腹部、四肢上的白膜后，置墩上用小刀顺甲边开壳，去尽内脏，洗净后入沸水中氽一下，捞出冲去血污，撕去油，入肉汤内煮约10分钟，以去其泥腥味。海参改条成段，鲍鱼片成小片，鸡肉切成块，冬菇、火腿、冬笋切成片，用黄色蛋粑雕刻出龙凤图形。炒锅置旺火上，放猪化油烧热（约150℃），下鸡块、姜（拍破）、葱（挽结）煸炒出香味后，掺入鸡汤，放入酱油、料酒、川盐、冰糖、干贝、胡椒粉烧沸后去掉浮沫，移小火上㸆至汤浓味香，将鳖放入汤锅中，用小火㸆至八成𤆵捞出，将海参、鲍鱼、干贝和鸡块装入鳖腹，冬菇、冬笋、火腿各片成“三叠水”整齐摆于面上，然后盖上鳖甲，上笼稍蒸；独头蒜在猪化油中稍炸，捞出入碗上笼蒸烂。将蒸好的鳖放入圆盘中，四周围上独蒜，汤锅中原汁移旺火上收至汁稠汤浓时，下麻油、味精推匀，拣出姜、葱，起锅淋于鳖上，最后再将刻好的龙凤图形摆在鳖甲上，并以一颗红樱桃点缀其间，将圆盘放于特制的银质鳖形盛具上桌即成。

成菜特点：色泽金黄，味浓鲜香，质地软糯，营养丰富。

（三十七）东坡墨鱼

东坡墨鱼为四川省名菜。是选用鲜墨鱼为原料，配香油豆瓣、料酒、葱、姜、蒜等多种调味品制成。含有丰富的蛋白质、脂肪，维生素 B_1、B_2、尼克酸，以及钙、磷、铁、钾等营养素。

烹调类型：经炸、熘烹制而成的糖醋味型热菜。

主料：鲜墨鱼。

调料：香油豆瓣 20 克，料酒 15 克，盐 5 克，葱 20 克，泡红辣椒 10 克，姜、蒜各 10 克，菜油 500 克，熟猪油 20 克，白糖 40 克，酱油 10 克，醋 30 克，豆粉 30 克，好汤 50 克。

制作要领：鱼需剞化，以便炸酥细刺；鱼装盘时注意形状完整；滋汁不要太少、太清。

制作工艺：鲜鱼经初加工后，从腹部对剖成两片（背部仍相连），剔去脊骨，在鱼身两面用直刀上、平刀进的刀法各剞六、七刀，然后抹上盐、料酒腌渍；葱白切成细丝；泡红辣椒去蒂、籽，切成细丝；姜、蒜切细粒，香油豆瓣剁细。炒锅置旺火上，倒菜油烧热至 200℃，将鱼裹上干豆粉后，手提鱼尾于锅上方，用炒勺舀油淋于刀口处，待刀口翻起定形后，将鱼腹贴锅滑入油中，炸成金黄色时捞起装入盘中。滗去部分油（锅内留油约50克），再下少许化猪油，烧热后，依次下姜、蒜粒及香油豆瓣煵出香味，下好汤、白糖、酱油，用水豆粉勾成薄芡，撒葱花，烹入醋，起锅淋于鱼上，撒上葱白丝、泡红辣椒丝即成。

成菜特点：色泽红亮，外酥内嫩，甜酸微辣。

禽蛋类菜式

（一）怪味鸡

怪味鸡为四川省风味名菜。是选用鲜嫩仔公鸡，配脆花仁，加多种调料制成。含有丰富的蛋白质、脂肪，维生素A、E、B_1、B_2、尼克酸和钙、磷、铁等营养素。

烹调类型：经煮、拌烹制而成的怪味味型冷菜。

主料：仔公鸡一只（约1500克）。

配料：脆花仁25克。

调料：郫县豆瓣15克，糟蛋黄15克，酱油20克，醋15克，辣椒油10克，花椒粉3克，白糖10克，芝麻酱10克，味精1克，香油10克，姜10克，葱10克，料酒15克，汤750克。

制作要领：鸡煮至刚熟时即成；味汁要兑好；食用前才将味汁淋于盘中。

制作工艺：嫩仔公鸡宰杀、开膛、去内脏、洗净后，去掉头、颈、爪，入锅出一水，再入沸汤锅，加姜、葱、料酒煮至刚熟，捞出，放入凉汤内浸凉，捞出擦干水分，去尽鸡骨，改成片、丝、块均可。郫县豆瓣剁细炒酥，糟蛋黄按成茸，加酱油、醋、辣椒油、花椒粉、白糖、芝麻酱、味精、香油混匀兑成怪味味汁。脆花仁剁成细粒。食用时将鸡肉装盘，淋上怪味汁，撒上脆花仁即成。

成菜特点：充分体现川味独特味型，集麻、辣、甜、酸、咸、糟于一，香鲜味浓，细嫩爽口。

（二）花椒鸡丁

花椒鸡丁为四川省风味名菜。是选用开膛嫩仔鸡配干辣椒、花椒，加多种调料制成。含有较高的蛋白质、不饱和脂肪酸、维生素 E、B_1、尼克酸、钙、磷、铁等营养素。

烹调类型：经炸、收烹制而成的麻辣味型菜肴。

主料：开膛嫩仔鸡一只（约 500 克）。

调料：干辣椒 10 克，花椒 3 克，料酒 20 克，酱油 15 克，盐 3 克，素油 500 克，白糖 10 克，葱 10 克，姜 10 克，味精 1 克，香油 5 克，鲜汤 150 克。

制作要领：鸡丁大小要剁匀；入锅炸至刚熟即捞起；收汤时所加汤不宜过多。

制作工艺：鸡洗净后，剔骨，剁成约 2 厘米见方的丁，加料酒、酱油、盐、葱节、姜片拌匀，腌渍入味（约 30 分钟）。干辣椒擦净，去蒂、籽，切成约 2 厘米长的节。锅置旺火上，下素油烧热（约 180～200℃），将鸡丁内葱姜去掉，滗去汁水后，下锅炸至刚熟（鸡丁微带黄色）时捞起，沥干油。炒锅另放净素油 100 克，烧热后，投入干辣椒节、花椒炒出香味，辣椒呈棕红色时，倒入鸡丁，烹酱油、白糖、料酒和清汤少许，中火收汁，待收干亮油，放入味精、香油，簸匀起锅。若热食，直接装盘；若冷食，放入盘拨开晾冷后，将辣椒垫底，鸡丁摆在上面即成。

成菜特点：色泽金红，麻辣鲜香，略带甜味，鲜美可口。

（三）椒麻鸡

椒麻鸡为四川省名菜。是选用开膛嫩鸡，配花椒、小葱，加多种调味品制成。含有丰富的蛋白质、脂肪、维生素A、E、B_1、B_2、尼克酸、钙、磷、铁等营养素。

烹调类型：经煮、拌烹制而成的椒麻味型冷菜。

主料：开膛嫩鸡一只（约500克）。

配料：花椒3克，小葱10克。

调料：姜葱各10克，料酒10克，盐2克，酱油10克，香油10克，味精0.5克，鲜汤50克。

制作要领：煮鸡时火候要掌握好，以断生为度。

制作工艺：嫩鸡去头、颈、翅、脚爪，洗净后出一水，再入沸汤锅中加姜、葱、料酒煮熟，捞起放入凉开水内浸凉后，捞出擦干水分，去掉鸡骨，改成片（或条、丝、块），装入盘中，花椒去掉黑籽，小葱洗净切成花，混合后加少许盐剁成细末，盛入小碗内，加酱油、盐、香油、味精、凉鲜汤调匀成椒麻滋汁，淋于鸡片上即成。

成菜特点：麻醇咸鲜，质地软嫩，清爽可口。

（四）陈皮鸡

陈皮鸡为四川省名菜。是选用鲜嫩鸡，配干辣椒、陈皮，加多种调味品制成。含有丰富的蛋白质，不饱和脂肪酸，维生素A、E、B_1、B_2、尼克酸，以及钙、磷、铁等营养素。

烹调类型：经炸收烹制而成的陈皮味型冷菜。

主料：鲜嫩开膛鸡一只（约500克）。

配料：干辣椒4克，陈皮4克。

调料：姜、葱各10克，料酒10克，盐3克，酱油10克，菜油500克，鲜汤50克，糖20克，醋10克，香油5克。

制作要领：炸制不能过头；底味不要过大。

制作工艺：嫩鸡开膛洗净后，去掉头、颈、脚爪，剔去骨头，鸡肉切成约2厘米见方的块，盛入碗，加姜、葱、料酒、盐、酱油拌匀，腌渍码味；干辣椒擦净，去蒂、籽，切成短节；陈皮洗净撕成块。锅置旺火上，下菜油烧热（约150℃），去掉鸡块中的姜、葱，滗去汁水后，鸡块下锅炸至呈金黄色（约5分钟），捞出，去掉炸油。另下菜油约150克，烧热，放入辣椒节、花椒、陈皮稍炸，随即放入鸡块，加少量鲜汤，烹入糖醋汁，用中火收至汤汁吐油时起锅，淋上少许香油，晾冷装盘即成。

成菜特点：色泽红亮，麻辣香嫩，味浓鲜香。

（五）水八块

水八块为四川省达县地区风味菜肴。是选用仔公鸡，加多种调味品制成。是一种高蛋白质的营养菜肴，特别是含有人体必需的十二种氨基酸，营养价值较高。

烹调类型：经煮、拌烹制而成的麻辣味型冷菜。

主料：开膛嫩仔公鸡一只（约500克）。

调料：盐3克，酱油10克，白糖10克，熟辣椒油10克，花椒粉10克。

制作要领：煮鸡火候要掌握好，以刚断生为度。

制作工艺：开膛仔公鸡清洗干净，入沸水锅中煮至刚熟捞出，晾凉。砍去鸡头、翅、腿（作它用），从腹中线剖开，分成背、胸、腹各一块，然后砍成八块，每块都应带骨，且成厚薄均匀的斜片。置入盆中，加盐、酱油、白糖等拌匀，再加入熟辣椒油拌匀，撒上花椒粉即成。

成菜特点：肉质细嫩，麻辣鲜香，咸甜适口。

（六）山城棒棒鸡

山城棒棒鸡为四川省重庆市名菜。是选用嫩公鸡，加多种调味品制成。含有丰富的蛋白质、不饱和脂肪酸，维生素A、E、B_1、B_2、尼克酸、钙、磷、铁、钾和少量碳水化合物等。

烹调类型：经煮、拌烹制而成的麻辣味型冷菜。

主料：嫩公鸡一只（约1000克）。

调料：芝麻油20克，红油辣椒10克，芝麻面5克，花椒面2克，芝麻酱5克，口蘑10克，酱油10克，葱花10克，白糖10克，味精1克。

制作要领：煮鸡时间要掌握好，不能过久，以鸡断生为度；木棒捶时不能用力过大。

制作工艺：将公鸡宰杀去毛，除去内脏，洗净，入沸水锅中煮一刻钟，掺入半瓢冷水；待水再次煮开时，将鸡翻面再煮约10分钟，再掺入半瓢冷水。待水烧开之后翻面，用小竹刺刺入鸡肉内，无血珠冒出时即可捞起，放入冷开水中浸泡1小时，取出晾干。鸡皮上刷一层芝麻油，再将鸡头、颈、翅、胸脯、背脊分部位宰开。鸡头切成两块，其余用小木棒轻捶，使之柔软，切成筷子粗的条装盘。食用时，将红油辣椒、芝麻粉、花椒粉、芝麻油、口蘑、酱油、白糖、葱花、味精等调匀成汁，即可蘸食。

成菜特点：肉质细嫩，麻辣咸鲜，香味浓郁。

（七）棒棒鸡丝

棒棒鸡丝为四川省风味名菜。是选用仔公鸡，配葱白，加各种调料制成。含有丰富的蛋白质、脂肪，维生素A、E、B_1、B_2、尼克酸，以及钙、磷、铁，还有少量碳水化合物等营养素。

烹调类型：经煮、拌烹制而成的麻辣味型冷菜。

主料：白皮仔公鸡一只（约1000克）。

配料：葱白25克。

调料：酱油30克，醋25克，芝麻酱25克，花椒粉3克，味精1克，辣椒油15克，香油10克，白糖10克。

制作要领：煮鸡火候要掌握适当，时间不能过久；木棒捶时不能用力过大。

制作工艺：仔公鸡宰杀开膛洗净后，斩去头颈、脚爪，入沸汤锅中煮熟（以断生为准），捞出放入凉汤或凉开水中浸凉，取出擦干水分，去骨，用小木棒将肉捶松（或用刀背拍松）后，顺筋用手撕成粗丝（鸡皮用刀切），葱白洗净，切成与鸡丝相仿的粗丝，垫于盘底，上放鸡丝。用酱油、白糖、芝麻酱、味精、花椒粉、辣椒油、醋、香油调成味汁，淋于盘中，拌匀即成。

成菜特点：色润红亮，肉质鲜嫩，麻辣香甜，微带酸味，味美爽口。

（八）三菌炖鸡

三菌炖鸡为四川省家常风味名菜。是选用嫩母鸡，配鲜三菌、独蒜，加葱、姜、盐、料酒等调味品烹制而成。含有丰富的蛋白质、脂肪、碳水化合物，维生素E、B_1、B_2、尼克酸和钙、磷、铁、钾等营养素。

烹调类型：经炖烹制而成的咸鲜味型汤菜。

主料：开膛嫩母鸡一只（约 500 克）。

配料：三菌 50 克，独蒜 25 克。

调料：猪油 75 克，葱 10 克，姜 10 克，盐 3 克，料酒 10 克，鲜汤 750 克。

制作要领：主配料要先在锅中分次煵入味，再移入砂锅中，要用小火炖粑。

制作工艺：开膛嫩鸡洗净后，连骨剁成约 2.5 厘米大的块；三菌去根脚洗净，改小，用清水漂起；姜洗净拍破，葱、蒜洗净。炒锅置旺火上，下猪油烧热，放入鸡块，葱、姜炒出香味，加鲜汤、蒜烧开，舀入砂锅，用微火煨 40 分钟左右。炒锅置旺火上，下猪油少许烧热（约 150℃），将三菌沥干水入锅煸炒约 3 分钟，倒入砂锅内，加精盐，再用微火煨约 20 分钟至鸡块粑，舀出盛于汤碗中即成。

成菜特点：菜汤乳白，鸡粑菌嫩，汤味鲜美。

（九）叫化鸡

叫化鸡为四川省名菜。是选用鲜嫩仔鸡，配猪肥瘦肉、芽菜、荷叶，加多种调味品制成，含有丰富的蛋白质、脂肪，维生素 E、B_1、B_2、C、尼克酸，以及钙、磷、铁等营养物质。

烹调类型：经烤烹制而成的咸鲜味型热菜。

主料：开膛嫩仔鸡一只（约 500 克）。

配料：猪肉 50 克，芽菜 25 克，泡辣椒 10 克，生菜 15 克，鲜荷叶 6 张。

调料：酱油 20 克，料酒 20 克，花椒 2 克，姜、葱各 10 克。

制作要领：包鸡的荷叶应先上笼蒸一下；烤时火宜小，边烤边翻。

制作工艺：开膛仔鸡洗净沥干水，去头、翅、爪，剔去腿骨，用酱油、料酒、花椒、姜、葱和匀后涂抹鸡身内外，腌渍入味；猪肉、芽菜、泡辣椒（去蒂、籽）分别剁细。炒锅置旺火上，下猪肉煵去血水，烹入酱油、料酒，加入芽菜、泡辣椒炒匀成馅。将馅填入鸡腹，然后用荷叶将鸡包裹紧，共裹六层，并用麻绳缠紧，再糊上稀泥，置炭火上烤至大干，剥去泥倒出馅，鸡肉砍一字条，横装条盘中，将馅和生菜分镶于盘的两端即成。

成菜特点：肉质细嫩，馅味鲜香，别具风味。

（十）白果烧鸡

白果烧鸡为四川省名菜。是选用鲜嫩开膛母鸡，配白果，以红汤烹制而成。含有丰富的蛋白质、脂肪、碳水化合物，维生素 E、B_1、B_2、尼克酸和钙、磷、铁、钾等营养素。

烹调类型：经烧制而成的咸鲜味型热菜。

主料：鲜嫩开膛母鸡一只（约 500 克）。

配料：白果 50 克。

调料：红汤 500 克，香油 10 克，豆粉 15 克。

制作要领：白果心要去尽，以防成菜有苦味。

制作工艺：鸡洗净后，出一水；白果去皮，捅去心，入清水漂；红汤入锅，用鸡鸭骨垫底放入鸡，加白果，用小火慢烧，至鸡烂、白果裂缝时，将鸡捞出放盘中，拣出白果环绕四周。锅内原汁勾芡收浓，淋上香油和匀，浇于鸡上即成。

成菜特点：鸡肉细嫩，白果回甜，味醇厚。

（十一）姜汁热窝鸡

姜汁热窝鸡为四川省名菜。是选用鲜嫩母鸡，加姜、醋、酱油、盐、辣椒油、水豆粉等料烹制而成。含有丰富的蛋白质、脂肪，维生素 A、E、B_1、B_2、尼克酸和钙、磷、铁等营养素。

烹调类型：经煮、烧烹制而成的姜汁味型热菜。

主料：鲜嫩母鸡一只（约 1000 克）。

调料：姜 10 克，葱 10 克，素油 50 克，盐 2 克，酱油 10 克，豆粉 15 克，醋 10 克，辣椒油 10 克，鲜汤 100 克。

制作要领：鸡冷后再改块，并要去掉大骨；醋应在鸡入味后，起锅前放入，以突出酸味和保持成菜色择。

制作工艺：母鸡宰杀洗净后，入锅煮熟，捞出晾凉后，去掉鸡腿骨，剁成均匀的块；姜切成姜末，葱切成葱花。锅内放素油烧热（约 150℃），下鸡块、姜末、葱花入锅炒出香味，加鲜汤、盐、酱油烧入味，加水豆粉和醋搅匀，淋上辣椒油即成。（此菜还有另一种烹法：鸡整治后，入锅稍煮，捞出斩成均匀的块，平放于碗中成三叠水，加调料，上笼蒸烂，出笼拣去调料渣，翻扣于圆盘中。再将蒸鸡的原汁入锅，加姜汁及调料烧沸，勾二流芡收汁，起锅加香油，淋于鸡上即成。）

成菜特点：色泽红亮，鸡肉细嫩，姜醋味突出。

（十二）荷叶粉蒸鸡

荷叶粉蒸鸡为四川省名菜。是选用鲜嫩仔鸡，配米粉、泡辣椒、嫩豌豆米和鲜荷叶，加多种调味品制成。含有丰富的蛋白质、脂肪，碳水化合物，维生素 E、B_1、B_2、尼克酸，钙、磷、铁等营养素。且能发挥动植物蛋白质的互补作用，提高了菜肴蛋白质的生理价值。

烹调类型：经蒸烹制而成的咸鲜味型热菜。

主料：鲜嫩仔鸡一只（约1000克）。

配料：大米100克，豌豆25克，荷叶10块。

调料：花椒3克，泡辣椒10克，盐3克，酱油10克，味精1克，白糖15克，胡椒粉2克，郫县豆瓣15克，姜末10克，豆腐乳汁10克，汤50克，猪油20克。

制作要领：鸡肉只选脯肉和腿肉，并剞十字花刀；鸡肉和米粉拌合时要适度，不可太干或太稀；豌豆米要先入开水氽过；上笼蒸火候要适度。

制作工艺：仔鸡宰杀洗净后，去骨剁成长约5.5厘米、宽2厘米的条块；大米加花椒入锅炒呈浅黄色，磨成粗粉；泡辣椒去蒂、籽，切成斜刀节；荷叶洗净烫软，切成约12厘米长的等边三角形。鸡肉加盐、胡椒粉、酱油、味精、白糖、郫县豆瓣（剁细）、姜末、豆腐乳汁拌匀成金红腌入味，加汤、米粉、猪油拌匀；取荷叶一块（叶背向上，尖端向外），放鸡肉两块、泡辣椒一节、豌豆数粒，裹成卷装在蒸碗内，上笼蒸烂，取出翻扣于盘中即成。

成菜特点：荷叶墨绿，略带清香，鸡肉软嫩，味浓鲜美。

（十三）椒盐八宝鸡

椒盐八宝鸡为四川省筵席名菜。是选用肥嫩母鸡，配豌豆米、火腿、香菌、苡仁、莲米、芡实、金钩、糯米等料制成。含有丰富的蛋白质、脂肪、碳水化合物，维生素E、B_1、B_2、尼克酸，以及钙、磷、铁、钾等营养素，且具有温中补脾，养心益气，添精益肾的功效。

烹调类型：经蒸、炸烹制而成的咸鲜味型热菜。

主料：肥嫩母鸡一只（约1000克）。

配料：糯米25克，鲜豌豆米25克，莲米25克，苡仁25克，芡实25克，金钩10克，火腿15克，香菌15克。

调料：料酒15克，盐5克，酱油10克，蛋清15克，豆粉15克，素油500克，香油10克，椒盐15克。

制作要领：鸡出骨时要注意保持肉皮完整无破损；八宝料不宜填得过多；炸鸡时，应将腹向上，否则易糊，同时要用竹签在鸡身戳眼放气。

制作工艺：母鸡宰杀洗净后，整料出骨。洗净后，抹料酒、盐腌渍备用。鲜豌豆米入沸水中汆过，去壳后漂于清水中；糯米洗净入锅煮至过心；莲米褪衣去心后和苡仁、芡实淘洗泡胀，入碗加水淹没，上笼蒸烂；金钩泡胀，与火腿、香菌均切成细粒。然后将以上各料混合，加盐和匀，由鸡颈刀口处瓤入鸡腹中，以竹签锁住开口，先入沸汤中煮几分钟捞出，将鸡翅翻到背上盘好，夹住鸡头，再装入蒸碗中，上笼蒸约两小时（以用竹筷能将鸡翅戳破为度），取出晾凉，揩干水气，抹上酱油、蛋清豆粉。锅置旺火上，放油烧热（180℃），将鸡放入炸呈金黄色时捞起，淋香油，去掉竹签，用刀将鸡脯和腹部划成菱形块（以断皮为度）。配椒盐碟上席。

成菜特点：颜色金黄光亮，美观大方，皮酥肉嫩，馅味鲜美。

（十四）五香脆皮鸡

五香脆皮鸡为四川省筵席名菜。是选用鲜嫩仔鸡，加香料、酱油、花椒、料酒、姜、白糖等多种调味品制成。含有丰富的蛋白质、脂肪，维生素A、E、B_1、B_2、尼克酸，以及钙、磷、铁等营养素。同时还含有少量碳水化合物。

烹调类型：经蒸、炸烹制而成的五香味型热菜。

主料：嫩仔鸡一只（约1000克）。

调料：素油500克，盐3克，白糖15克，酱油10克，料酒15克，五香粉3克，花椒2克，姜、葱各15克，糖浆30克，味精0.5克，香油10克。

制作要领：鸡腌渍码味要均匀；蒸得不宜过烂；入锅炸时要不断浇沸油淋烫，使其颜色一致。

制作工艺：嫩鸡宰杀后，去头、翅尖、足爪，入沸水锅内汆一下，取出。将盐、白糖、酱油、料酒、五香粉、花椒于碗中调匀后，抹在鸡身内外，姜、葱塞入鸡腹口，装蒸碗中上笼蒸熟，取出擦干水分，趁热抹上糖色，拣去葱、姜、花椒，晾冷。锅置旺火上，下素油烧热（约180℃），放入鸡炸至皮酥色呈棕红时捞出，待稍冷，剔去大骨，斩成约5厘米长、1.5厘米宽的条块，在盘内摆成鸡形，并将蒸鸡原汁，加味精、白糖、香油调匀后，装味碟，或淋于鸡身。此菜若不用五香粉，而在鸡炸好入盘后，浇上烹好的鱼香滋汁，则成鱼香脆皮鸡。

成菜特点：色泽红亮，皮酥肉嫩，味道鲜美。

（十五）炖鸡汁

炖鸡汁为四川省重庆市名菜。是以鲜肥母鸡，配枸杞，加多种调味品烹制而成。含有丰富的蛋白质、脂肪，维生素E、B_1、B_2、尼克酸、钙、磷、铁等营养素。且具有温中补气，滋阴补血，益精明目的食疗作用。

烹调类型：经炖烹制而成的咸鲜味型热菜。

主料：鲜肥母鸡一只（约1500克）。

配料：枸杞100克。

调料：老姜20克，味精0.5克，胡椒粉1克，精盐2克。

制作要领：重在用火，炖制时大火煮沸，小火煨烂，使药味入鸡。

制作工艺：母鸡宰杀退毛，掏去内脏，洗净。宰去鸡的头脚，入锅加清水置旺火上烧开，撇去浮泡，加入老姜、枸杞（用白纱布包上），移焖炉内，用微火炖4小时（嫩鸡3小时），取出，鸡肉用筷子拨开，去掉脊背骨，拣去老姜，取出枸杞即成。食用时，将鸡汁和鸡肉丝盛于碗内，加味精、精盐、胡椒粉，并酌加鲜嫩小菜即可食用。

成菜特点：汤鲜肉嫩，回味纯正。

（十六）桃酥鸡糕

桃酥鸡糕为四川省筵席名菜。是选用鲜鸡脯肉，配猪肥膘、蛋清、桃仁，加多种调味品制成。含有丰富的蛋白质、脂肪，维生素E、B_1、B_2、C、尼克酸，以及钙、磷、铁等营养素。

烹调类型：经蒸、炸烹制而成的咸鲜味型热菜。

主料：鸡脯肉300克。

配料：桃仁50克，猪肥膘50克，蛋清30克，生菜50克。

调料：素油500克，料酒10克，盐2克，味精0.5克，香油20克，糖10克，醋5克，干豆粉15克。

制作要领：鸡糁装盘蒸前，应先在盘中刷上油；鸡糕临炸时才粘细干豆粉；炸时要掌握好火候。

制作工艺：桃仁用温水泡10分钟捞起撕去皮，沥干，入五成热油（约125℃）锅中炸酥，捞出剁细。鸡脯、肥膘分别捶茸，去筋后与蛋清制成鸡糁，并加料酒、盐、味精和桃仁拌匀，装入盘内刮平呈方形（厚约1.4厘米），上笼蒸约10分钟即成鸡糕。取出晾冷后，改成一字条，裹上细干豆粉。锅置火上，下油烧至180℃，放入鸡糕，炸至呈浅黄色皮酥时，捞出装盘，淋上香油，再配上以糖、醋、香油拌匀的生菜即成。

成菜特点：酥香鲜嫩，宜于佐酒。

（十七）叉烧鸡

叉烧鸡为四川省筵席名菜。是选用嫩仔鸡，配猪网油、猪肥瘦肉、冬菜、生菜，加多种调味品制成。含有丰富的蛋白质、脂肪，维生素E、B_1、B_2、尼克酸和维生素C，以及钙、磷、铁等营养物质，特别含有较高的饱和脂肪酸。

烹调类型：经明火烤烹制而成的咸鲜味型热菜。

主料：嫩仔鸡一只（约1000克）。

配料：猪网油300克，猪肉100克，冬菜50克，生菜50克。

调料：酱油15克，料酒20克，猪油50克，盐2克，姜15克，葱25克，豆粉20克，蛋清15克，香油15克，泡辣椒10克，甜酱20克，白糖5克，麻油5克。

制作要领：鸡腌味时应用竹签在鸡身上扎些小眼，以便入味和烤制时易熟；鸡腹内填入馅料后，要用竹签锁住；烧烤时要不时在网油上刷抹香油。

制作工艺：仔鸡宰杀洗净，开小口取出内脏，去头、翅、翘、脚爪和腿骨，洗净后，用酱油、料酒、姜米、葱节涂抹鸡身内外，并腌渍入味（约1小时）；猪网油洗净，改成三大张；猪肉切成二粗丝，冬菜切成短节，泡辣椒切成短节。炒锅置火上，下猪油烧热（约200℃），猪肉丝加盐、料酒、豆粉拌匀后下锅炒散，加冬菜节炒匀起锅，晾冷拌入泡辣椒，然后填入鸡腹内，鸡外皮上抹香油，再用猪网油把鸡裹紧（共裹三层，第二、三层网油上要抹上蛋清豆粉糊）。用双股铁叉从鸡翅与鸡腿处平穿过，入明火池中不断地转动，烤至表面网油焦皮吐油、呈金黄色、鸡肉熟时，擦净叉，取下，剥开网油，将网油酥皮和鸡肉分别切成条子，摆于条盘两端。鸡腹中馅料，去掉姜、葱、泡辣椒后，配上生菜摆于条盘中，另配上甜酱、白糖、麻油兑成的味碟和葱花即成。

成菜特点：鸡肉细嫩，网油酥香，馅料味鲜，食之口感丰富，且有回味。

（十八）芙蓉鸡片

芙蓉鸡片为四川省筵席名菜。是选用鸡脯肉，配火腿、冬笋、豌豆苗、鸡蛋清等料，加多种调味品制成。含有丰富的蛋白质、脂肪，维生素B_1、B_2、C、尼克酸，以及钙、磷、铁、钾等营养物质。特别含有较高的饱和脂肪酸。

烹调类型：经冲、烩烹制而成的咸鲜味型热菜。

主料：鸡脯肉250克。

配料：鸡蛋清50克，火腿25克，冬笋25克，豌豆苗25克。

调料：猪油500克，鲜汤250克，水豆粉（砣状）30克，盐5克，奶汤50克，胡椒粉1克，味精0.5克，鸡油10克。

制作要领：鸡脯肉要先在清水中漂去血污，鸡茸捶得越细越好；冲鸡片要掌握好火候油温，应在80℃左右；火不能大；以免成菜油腻，鸡片冲好后，要放入鲜汤中漂起。

制作工艺：鸡脯肉去筋，捶成茸入碗，加冷鲜汤、水豆粉、盐、蛋清调匀成糊状；火腿、冬笋切成长约3.5厘米、宽约2厘米的薄片；豌豆苗洗净。炒锅置火上，下猪油烧热（约80℃～100℃），将锅稍倾斜，用炒勺舀鸡糊（约30克）顺锅边倒入锅内，然后迅速将锅向反方向倾斜，使油没过鸡糊，待其成形离锅后，捞出放入鲜汤中漂起，即成鸡片，依此法将全部鸡糊做成鸡片。将锅内余油倒出，下火腿及冬笋片，掺奶汤，加盐、味精、胡椒粉烧沸，放入鸡片稍烩，下豌豆苗，勾水豆粉芡，起锅淋上鸡油即成。

成菜特点：鸡片洁白如娇嫩芙蓉，配上红色的火腿，绿色的豌豆苗，使成菜清新、妍丽，入口柔软细微鲜美。

（十九）雪花鸡淖

雪花鸡淖为四川省筵席名菜。是选用鸡脯肉，配熟火腿末、鸡蛋清、加盐、味精、豆粉和鲜汤等料制成。含有较高的蛋白质、脂肪，维生素E、B_1、B_2、尼克酸，以及钙、磷、铁等营养素。还含有少量的碳水化合物。

烹调类型：经软炒烹制而成的鲜咸味型热菜。

主料：鸡脯肉150克。

配料：熟火腿末30克，鸡蛋清50克。

调料：鲜汤350克，砣状水豆粉50克，盐2克，猪油50克，胡椒粉1克，味精0.5克。

制作要领：鸡茸要捶细，去尽筋络；鲜汤应分二次加入；软炒时要红锅滚油，且动作要快，使受热均匀；不能久炒。

制作工艺：鸡脯肉去筋，用刀背捶茸，去尽茸中筋络，装入碗内，先用冷鲜汤调散，再加入水豆粉、盐、味精、胡椒粉搅匀，最后加入蛋清打成的蛋泡搅匀。炒锅置旺火上，下猪油烧热（约180～200℃），倒入鸡浆，炒熟起锅，盛盘撒上火腿末即成。

成菜特点：状如云朵，似积雪堆叠，入口柔软滑嫩，诚然是“食鸡不见鸡”的妙品。

（二十）锅贴鸡片

锅贴鸡片为四川省筵席名菜。是选用鸡脯肉、猪肥膘肉，配熟火腿、冬笋，加多种调料品制成。含有较高的蛋白质、脂肪，维生素E、B_1、B_2、尼克酸，以及钙、磷、铁等营养素，特别富含饱和脂肪酸。

烹调类型：经锅贴烹制而成的咸鲜味型热菜。

主料：鸡脯肉250克，猪肥膘肉300克。

配料：熟火腿50克，冬笋100克，生菜50克。

调料：清油50克，姜10克，葱10克，料酒15克，酱油10克，蛋清50克，豆粉35克，香油15克，葱酱50克，白糖10克，醋5克。

制作要领：肥膘肉片后要用刀尖在片的中心和四角轻轻戳上孔；贴鸡片火不宜大，要注意转动锅，使受热均匀。

制作工艺：鸡脯肉片成长约5厘米、宽4厘米的薄片，用姜、葱段、料酒、酱油拌匀；腌渍码味约15分钟；肥膘肉入汤锅煮熟，捞出晾冷后，片成与鸡片相同的薄片，火腿切成细末，冬笋煮熟后，切成长约 4 厘米、宽约 2.7 厘米的薄片。猪肥膘片平铺盘内，用热布揩干油腻，抹上一层蛋清豆粉，随后贴上冬笋片，笋片上放火腿末，码味的鸡片裹上蛋清豆粉放在火腿末之上。依此法共做 24 块坯片。炒锅在旺火上烧热，放入清油浪匀，滗去余油，将坯片猪肉一面向下逐一贴于锅内，锅置微火上，不断转动锅并将煎出的油用小铲铲起淋于鸡片上，至底面贴成深黄色，鸡肉熟、色呈浅黄时，滗去余油，淋上香油，起锅装盘，并配上生菜（用白糖、醋、香油拌匀）和葱酱碟即成。

成菜特点：颜色美观，入口脆嫩酥香，蘸以葱酱，风味别具。

（二十一）鸡豆花

鸡豆花为四川省筵席名菜。是选用鸡脯肉，配豌豆苗或菜心，熟火腿末，加蛋清、鲜汤、豆粉、盐、胡椒粉、味精等料制成。含有较高的蛋白质、脂肪，维生素 E、B_1、B_2、尼克酸和钙、磷、铁等营养素。还有一定量维生素 C。

烹调类型：经煨烹制而成的咸鲜味型热菜。

主料：鸡脯肉 150 克。

配料：豌豆苗 50 克，熟火腿末 25 克。

调料：蛋清 65 克，味精 0.5 克，盐 3 克，水豆粉 25 克，胡椒粉 1 克，清汤 750 克。

制作要领：应选用老母鸡的脯肉，则鲜味足，筋力好；捶茸时为保证色泽，应将鸡肉放在鲜猪皮上捶、剁；鸡茸浆用 250 克清汤澥散；冲鸡豆花时火力要大，汤要宽；在倾入鸡浆时，要及时搅动锅内的汤使之旋转，使蛋白质受热均匀而快速凝结；移小火煨时要让锅内温度保持在80℃左右。

制作工艺：鸡脯肉去筋，用刀背拍松，捶茸，去尽筋络，再用刀反复剁细成鸡泥，加冷清汤澥散，再放蛋清、味精、盐、水豆粉、胡椒粉等和匀。锅洗净置火上，注清汤烧沸，将鸡茸浆搅匀后入锅内，待微沸将锅移小火上煨10余分钟，使之凝聚成鸡豆花。豌豆苗入沸水中汆熟，捞入汤碗中，然后舀入鸡豆花，并灌入清汤，撒上熟火腿末即成。

成菜特点：洁白汤清，凝块成砣，质细软嫩，清鲜味醇。

（二十二）宫保鸡丁

宫保鸡丁为四川省传统名菜。是选用鲜仔鸡脯肉，配干辣椒、花椒、花仁，加葱、姜、蒜及多种调味品制成。含有较高蛋白质、脂肪，维生素E、B_1、B_2、尼克酸，以及钙、磷、铁、钾等营养素。

烹调类型：经爆炒烹制而成的荔枝味型热菜。

主料：仔鸡脯肉300克。

配料：干辣椒15克，花椒5克，花仁50克。

调料：姜葱蒜各10克，素油25克，猪化油25克，盐2克，料酒20克，水豆粉80克，酱油25克，醋15克，白糖15克，味精0.5克，汤50克。

制作要领：鸡肉拍松、剞刀，以便于入味和快熟；为保证香辣，要先下辣椒，后放花椒；为保证花仁酥脆，应在成菜起锅时才放入簸匀。

制作工艺：仔鸡脯肉洗净，去尽筋油，用刀拍松，先剞十字花刀（深度为肉厚的2/3），再剁成1.5厘米见方的丁，加盐、料酒、水豆粉拌匀码味；干辣椒擦净，去蒂、籽，切成短节；葱切成短节；姜、蒜切小方片；花仁去红衣，入油锅炸酥，捞出备用；用小碗将酱油、醋、白糖、料酒、味精、水豆粉、汤兑匀成荔枝味芡汁。炒锅置旺火上，下素油烧热，下辣椒节炒成棕红色时，下花椒微炒，加适量猪化油，下鸡丁炒散，放入姜、蒜、葱稍炒，烹入芡汁，迅速翻簸并加入花仁簸匀，起锅装盘即成。

成菜特点：色润棕红亮油，红嫩鲜酥，荔枝味浓，鲜美适口。

（二十三）红烧卷筒鸡

红烧卷筒鸡为四川省名菜。是选用鲜鸡脯肉，配熟火腿、冬笋、冬菇，加多种调味品制成。含有较丰富的蛋白质、脂肪，维生素 E、B_1、B_2、尼克酸、钙、磷、铁等营养素。

烹调类型：经炸、烧、蒸烹制而成的咸鲜味型热菜。

主料：鸡脯肉 350 克。

配料：熟火腿 50 克，冬笋 50 克，冬菇 50 克。

调料：蛋清 50 克，豆粉 40 克，素油 500 克，好汤 750 克，红酱油 10 克，葱、姜各 10 克，料酒 10 克，盐 2 克，酱油 5 克。

制作要领：卷筒应大小一致；用蛋清豆粉要裹好，以免炸散。

制作工艺：鸡脯肉片成长约 4.5 厘米、宽约 2.7 厘米的薄片 24 张；火腿、冬笋、冬菇均切成长约 2.5 厘米的二粗丝各 24 根。鸡片摊开，将火腿、冬笋、冬菇丝各一根放于片的一端，顺裹成卷形，卷尾处抹上蛋清豆粉交口。整个卷再裹一层蛋清豆粉。锅置旺火上，下素油烧热（约 200℃），将鸡卷逐个顺锅边放入，炸至呈黄色捞出。烧热锅放鸡骨垫底，加好汤、红酱油、葱、姜、料酒、酱油、盐吃味上色，然后放入鸡卷，大火烧开后改用小慢火烧（约30分钟），取出鸡卷，摆放于蒸碗中（定成“三叠水”），将烧鸡原汁入碗，上笼蒸约10分钟取出，将原汁滗入锅中，鸡卷翻扣于盘中，锅内汁勾二流芡淋于鸡卷上即成。

成菜特点：色泽棕红，肉质细嫩，味极鲜美。

（二十四）金钱鸡塔

金钱鸡塔为四川省筵席名菜。是选用鲜鸡脯肉、猪肥膘肉，配熟瘦火腿、白头韭菜，加蛋清、盐、干豆粉、香油等制成。含有较高的蛋白质、脂肪，维生素E、B_1、B_2、尼克酸，以及钙、磷、铁等营养物质。

烹调类型：经锅贴烹制而成的咸鲜味型热菜。

主料：鸡脯肉200克，猪肥膘肉100克。

配料：熟瘦火腿50克，白头韭菜50克。

调料：蛋清50克，盐3克，醋10克，香油10克。

制作要领：鸡糁水分要适度；制糁时要顺着一个方向搅动，搅至颜色白而发亮才行；贴时要注意掌握火候，火不宜大。

制作工艺：鸡脯肉洗净去筋，与生猪肥膘肉分别用刀背捶茸后混合，加清水、蛋清、盐制成鸡糁；另将煮熟的猪肥膘肉切成直径约4厘米米、厚约0.4厘米的圆形片，共24片，熟火腿剁成细片；韭菜切成长约1厘米的段，漂入清水中；蛋清加干豆粉调匀。将圆形猪肉片铺于盘中，用热布搌干表面油质，抹上一层蛋清豆粉，然后将鸡糁做成直径约为2厘米的圆珠，放于肉片上，并抹平，再取少许火腿末放在圆珠上粘稳，即是金钱鸡塔坯。锅置火上烧热，取鸡塔坯肥膘向下贴于锅中，烙至肥膘呈金黄色时起锅，装于条盘中，将韭菜滤干水，用盐、醋、香油拌匀，摆于盘的两端即成。

成菜特点：形似金钱，颜色鲜艳，入口酥香，脆嫩味美，为佐酒佳肴。

（二十五）羊耳鸡塔

羊耳鸡塔为四川省筵席名菜。是选用鲜嫩鸡脯肉，配熟火腿、冬笋、茨菇、冬菇、猪肥膘肉、猪网油，加多种调料品制成。含有丰富的蛋白质、不饱和脂肪酸，维生素E、B_1、B_2、尼克酸，以及钙、磷、铁等营养素。

烹调类型：经炸烹制而成的酥香味型热菜。

主料：鸡脯肉300克。

配料：猪肥膘肉50克，火腿25克，冬笋25克，茨菇25克，冬菇25克，猪网油150克，生菜50克。

调料：葱、姜各10克，盐2克，胡椒粉1克，味精0.5克，料酒10克，香油35克，蛋清50克，干豆粉30克，素油500克，白糖10克，醋10克，椒盐10克。

制作要领：塔坯卷好后，用刀尖戳些小眼，并粘上一层干豆粉；炸时要注意火候。

制作工艺：鸡脯肉去筋，与猪肥膘肉、火腿、冬笋、冬菇、茨菇均切成细丝；葱、姜切细末；蛋清加干豆粉调成糊状。将切好的各料加盐、胡椒粉、味精、料酒、香油、葱、姜和适量蛋清糊拌匀成馅。猪网油洗净，挤干水分，切成约20厘米见方的方形，抹上蛋糊，将馅料放上，两端包严，卷成扁约（宽约4厘米，厚约1厘米），交口处粘牢，即为鸡塔坯。

锅置旺火上，下素油烧热（约150℃），下鸡塔坯炸至熟透，色呈金黄时捞起，抹上香油，用斜刀法将鸡塔切成羊耳形，盛于盘内；另将生菜，拌上白糖醋、香油，镶于盘中，随椒盐碟上席即成。

成菜特点：形如羊耳，色黄酥香，多味鲜美，宜于佐酒。

（二十六）碎末鸡丁

碎末鸡丁为四川省家常风味名菜。是选用鲜嫩鸡脯肉，配熟花仁、泡红辣椒，加多种调味品制成。含有丰富的蛋白质、脂肪、维生素E、B_1、B_2、尼克酸、钙、磷、铁等营养素。

烹调类型：经炒烹制而成的家常味型热菜。

主料：鸡脯肉200克。

配料：花仁25克，泡红辣椒10克。

调料：猪油150克，盐4克，料酒20克，味精1克，葱10克，蒜10克，酱油10克，白糖5克，醋5克，豆粉20克，鲜汤50克，蛋清10克。

制作要领：炒时油温应稍低；为保持花仁香脆，应在起锅前才下花仁。

制作工艺：鸡脯肉轻拍后，切成0.7厘米见方的丁，入碗加盐、料酒、味精拌匀；泡红辣椒去蒂、籽，剁细；花仁剁成粗粒；葱切细花，蒜切细粒。另取小碗，用盐、酱油、白糖、醋、料酒、味精、水豆粉、鲜汤兑成滋汁。炒锅置旺火上，下猪油烧热（约150℃），将鸡丁用蛋清豆粉上浆后入锅，滑透，倒入漏勺沥干油。锅内加油少许，烧热，下泡红辣椒，炒至油呈红色时，下葱、蒜炒香，下鸡丁炒匀，烹入滋汁，推炒至散籽亮油，撒上花仁，推匀起锅装盘即成。

成菜特点：红白相间，色调明快，滑嫩香酥，回味酸甜，鲜美可口。

（二十七）辣子鸡丁

辣子鸡丁为四川省家常风味名菜。是选用鸡脯肉，配荸荠、泡红辣椒，加多种调味品制成。含有丰富的蛋白质、脂肪、碳水化含物，维生素 E 和 B 族维生素，以及钙、磷、铁等营养素。

烹调类型：经炒烹制而成的家常味型热菜。

主料：鸡脯肉 250 克。

配料：荸荠 50 克，泡红辣椒 15 克。

调料：猪油 50 克，盐 3 克，酱油 20 克，料酒 20 克，味精 1 克，葱姜蒜各 10 克，蛋清 15 克，豆粉 20 克，醋 5 克，好汤 50 克。

制作要领：锅要先炙过，油要适量；炒时动作要快。

制作工艺：鸡脯肉去掉筋膜，用刀尖戳一些小眼，切成约 1.5 厘米见方的丁，入碗加盐、酱油、料酒、味精拌匀码味；荸荠去皮，洗净后切成方丁；泡红辣椒去蒂、籽剁细；葱切成短节，姜、蒜切小方片；蛋清加干豆粉调成稀糊。炒锅置旺火上，炙锅后，下猪油烧热（约 150～180℃），鸡丁用蛋清豆粉糊上浆后，下锅滑散至熟，下剁细的泡辣椒，急速翻炒至鸡丁全呈辣椒红色时，下荸荠、姜、葱、蒜炒出香味，烹入用盐、酱油、料酒、白糖、味精、水豆粉、好汤兑成的滋汁，迅速翻簸，并滴醋少许，起锅装盘即成。此菜可用郫县豆瓣代替泡辣椒；用鲜笋或青笋代替荸荠。

成菜特点：色润红亮，质细滑嫩，鲜香带辣。

（二十八）醋熘鸡

醋熘鸡为四川省筵席名菜。是选用鲜嫩仔鸡脯肉，配冬笋、泡辣椒，加多种调味品制成。含有丰富的蛋白质、脂肪、维生素 E、B_1、B_2、尼克酸，钙、磷、铁等营养物质。

烹调类型：经熘炒烹制而成的咸酸味型热菜。

主料：鸡脯肉 300 克。

配料：冬笋 75 克，泡辣椒 10 克。

调料：料酒 10 克，蛋清 15 克，盐 2 克，豆粉 20 克，姜、蒜各 10 克，酱油 10 克，醋 15 克，白糖 20 克，清汤 25 克，猪油 50 克。

制作要领：味汁应醋多于糖，以突出酸味，兑味汁的水豆粉不宜多。

制作工艺：鸡脯肉用刀背拍松，在无皮一面剞十字花刀，刀口深约为肉厚度的 1/3，再切菱形块，装碗加料酒、蛋清、盐、豆粉调匀；冬笋切梳子背形，略小于鸡肉块；泡辣椒去蒂籽，剁细；姜、蒜切细粒与酱油、醋、白糖、水豆粉，清汤兑成味汁。炒锅置火上，下猪化油烧热（约 150℃），下鸡块，用竹筷迅速将鸡块拨散，下冬笋，泡辣椒同炒出红色，倾入味汁簸转和匀，起锅盛于盘内即成。

成菜特点：色红亮油，质地滑嫩，酸香突出，辣而带甜。烹法、味型别具一格。

（二十九）小煎鸡

小煎鸡为四川省筵席名菜。是选用嫩仔鸡腿肉，配泡辣椒、青笋、芹黄，加多种调味品制成。含有较高的蛋白质、脂肪，维生素E、B_1、B_2、C、尼克酸，和钙、磷、铁等营养素。

烹调类型：经炒烹制而成的家常味型热菜。

主料：鸡腿肉300克。

配料：青笋50克，泡辣椒15克，芹黄25克。

调料：盐5克，料酒20克，葱15克，酱油10克，醋5克，白糖10克，味精0.5克，鲜汤50克，豆粉25克，猪油50克，姜10克，蒜10克。

制作要领：鸡腿肉剞后改条不宜过短；芡汁色呈浅茶色较好。

制作工艺：鸡腿肉去骨，用刀拍松，剞菱形花刀，斩成长约5厘米、宽1厘米的一字条形，入碗加盐、料酒、水豆粉和匀；青笋切成长约4厘米、宽0.7厘米的条状，用少许盐码一下，洗净；泡辣椒切成长约2.5厘米的段，芹黄切成短节，葱切成"马耳朵"形，酱油、醋、白糖、盐、料酒、味精、水豆粉、鲜汤兑成芡汁。炒锅置旺火上，下猪油烧热（约150℃），下鸡肉炒散籽，加泡辣椒、姜、蒜片炒出香味，再下青笋、芹黄和葱炒匀，烹入芡汁，待收汁亮油，起锅装盘即成。

成菜特点：色桔红，略酸香，质嫩爽口，微辣回甜。

（三十）太白酥鸡

太白酥鸡为四川省名菜。是选鲜嫩仔鸡腿肉，配泡辣椒、干辣椒及花椒、醪糟汁等制成。含有丰富的蛋白质、脂肪，维生素E、B_1、B_2、尼克酸，钙、磷、铁等营养素。

烹调类型：经干烧烹制而成的家常味型热菜。

主料：鸡腿肉300克。

配料：泡辣椒15克，干辣椒10克。

调料：猪油 300 克，姜、葱各 10 克，鲜汤 500 克，盐 3 克，料酒 15 克，醪糟汁 10 克，白糖 10 克，糖色 5 克，花椒 3 克，胡椒粉 1 克，味精 0.5 克，香油 10 克。

制作要领：鸡条过油时间不要太长；煨时要用小火；收汁时要注意火候，不要烧焦。

制作工艺：鸡腿肉去骨，剁成一字条块；泡辣椒、干辣椒去蒂、籽，切成两段；姜拍破，葱挽结。锅置旺火上，下猪化油烧热（约 150℃），下鸡条稍炸，捞起；滗去余油（锅内留油约 50 克），烧热，下干辣椒炒一下，再下泡辣椒炒至油呈红色，下姜、葱及鲜汤、鸡块、盐、料酒、白糖、醪糟汁、糖色，烧沸去尽浮沫移至小火，花椒用布包好放入锅内，煨至鸡烂汁浓，拣去姜、葱、花椒、辣椒节，另加入胡椒粉、味精，用中火收汁亮油，淋上香油，起锅装盘即成。

成菜特点：色泽金黄，质地细软，咸鲜微辣。

（三十一）雪魔芋鸡翅

雪魔芋鸡翅为四川省筵席名菜，是选用肥嫩鸡翅，配水发魔芋，加多种调味品制成。含有丰富的蛋白质、脂肪、碳水化含物，维生素 B_1、B_2、尼克酸，钙、磷、铁等营养素。

烹调类型：经烧烹制而成的咸酸味型热菜。

主料：鸡翅 500 克。

配料：水发魔芋 15 克。

调料：猪油 50 克，料酒 15 克，鸡汤 500 克，酱油 10 克，盐 2 克，姜、葱各 15 克，豆粉 10 克，味精 0.5 克，胡椒粉 1 克。

制作要领：雪魔芋可先入沸水中汆过；烧时要小火慢烧，

以使入味醇厚。

制作工艺：鸡翅去尖，一断为二，洗净，出水；葱挽结，姜拍破；雪魔芋切成长约5厘米、宽约3厘米的条块。锅置旺火上，下猪化油烧热（约180℃），下鸡翅、料酒、姜、葱炒出香味，再加鸡汤、酱油、盐烧沸，去尽浮沫，用小火慢烧至鸡翅将熟时，加雪魔芋继续烧至鸡翅离骨时，拣去姜、葱，勾芡放味精、胡椒粉和匀起锅即成。

成菜特点：鸡翅软糯细嫩，魔芋柔软汁浓。

（三十二）鸡蹄花

鸡蹄花为四川省达县传统风味菜肴。是选用公鸡脚爪为主要原料制成。含有较高的胶质蛋白质，维生素B_1、B_2、尼克酸和钙、磷、铁等营养素。

烹调类型：经煮烹制而成的香辣味型。

主料：公鸡脚爪500克。

调料：红油20克，蒜泥10克，椒盐10克。

制作要领：煮制不要加调料，熟后要剔骨，要保持水分。

制作工艺：鸡爪洗净去老皮，置于冷水锅中，用中火煮沸后，改微火浸煮约20分钟，将锅端离火口，待冷后捞出鸡爪。用小刀在主骨及小爪的背面顺开一刀，将鸡爪整骨取出，即成鸡蹄花。剔好的鸡蹄花用干净湿布盖好，以免水分散失。食时，依各人口味可分别配上红油、蒜泥、椒麻味碟蘸食。

成菜特点：清爽脆嫩，形美味适。

（三十三）盐水肫花

盐水肫花为四川省筵席名菜。是选用鲜鸡肫，加多种调味品制成。含有较高的蛋白质、胆固醇，维生素A、B_1、B_2、尼克酸，钙、磷、铁等营养物质。

烹调类型：经蒸烹制而成的咸鲜味型冷菜。

主料：鸡肫250克。

调料：精盐3克，姜、葱各10克，料酒10克，花椒2克，鲜汤50克，香油10克，味精0.5克。

制作要领：要选用色红、形整的鸡肫；剞花刀路要均匀，深度一致；肫花蒸好后，要在汤汁中浸泡晾冷后再取出，以更好地入味和保持肫花的嫩脆滋润。

制作工艺：鸡肫去内金洗净，去鸡肫外表皮的白肋膜，改成四瓣，再用直刀剞成十字花刀(刀距为2毫米，深度达4/5)，然后装入蒸碗，加精盐、姜、葱、料酒、味精、鲜汤、花椒入笼用旺火蒸至熟透，取出晾冷，装盘，原汁加香油淋于肫花上即成。此菜也可用煮的方式。如蒸时加五香粉或装盘后淋上椒盐汁，则为五香肫花或椒 盐肫花。

成菜特点：形如花朵，质地脆嫩，清淡爽口。

（三十四）火爆双脆

火爆双脆为四川省家常风味名菜。是选用鸡肫、猪肚头，配豌豆苗，加泡辣椒、葱、姜等多种调料制成。含有丰富的蛋白质、胆固醇，维生素A、B_1、B_2、尼克酸，以及钙、磷、铁等营养素。还含一定量的维生素C。

烹调类型：经爆烹制而成的咸鲜味型热菜。

主料：猪肚头150克，鸡肫150克。

配料：豌豆苗30克。

调料：泡辣椒15克，葱白20克，蒜10克，姜10克，盐

3克，料酒10克，猪油50克，味精0.5克，胡椒粉1克，香油5克，豆粉25克。

制作要领：肚头、鸡肫的筋须去尽；码芡的水豆粉不能过重；爆时油温要高，动作要快。

制作工艺：猪肚头漂洗净，去油筋，从正面剞十字刀纹（约2/3深），然后再切成边长约2厘米的菱形块；鸡肫去内金，洗净去底板和边筋，每个平剖成4块，剞十字刀纹（约2/3深）；姜蒜切片，泡辣椒、葱白切成“马耳朵”形，豌豆苗洗净。肚头、肫用盐、料酒、水豆粉拌匀腌渍码味。锅置旺火上，放猪油烧热（约180℃），下肚头、鸡肫爆散籽后，下泡辣椒、姜片、蒜片、葱白、豌豆苗炒匀，烹入以盐、料酒、味精、胡椒粉、水豆粉、香油、鲜汤兑成的滋汁，炒匀迅速起锅装盘即成。

成菜特点：脆嫩爽口，咸鲜味美。

（三十五）青椒皮蛋

青椒皮蛋为四川省家常风味名菜。是选用优质松花皮蛋，配鲜青辣椒，加盐、酱油、味精、麻油等调料制成。含有较高的蛋白质、脂肪，维生素A、B_1、B_2、C、尼克酸，以及钙、磷、铁、钾等营养素。

烹调类型：经拌而制成的咸鲜味型热菜。

主料：松花皮蛋三个。

配料：青辣椒25克。

调料：酱油20克，盐1克，麻油5克，味精0.5克。

制作要领：烧青椒不能用明火（以前一般家庭都是将辣椒埋于柴灶的灶灰中，以炭火炕熟）。

制作工艺：皮蛋洗净去壳后，改成三角条（一个蛋切成六瓣）装盘；青辣椒洗净去蒂，用竹签串好置暗火上烧熟，剁细装碗，加盐、酱油、味精、麻油等调料兑成味汁，淋于皮蛋上即成。

成菜特点：鲜辣味美，乡土风味浓郁。

（三十六）椿芽烘蛋

椿芽烘蛋为四川省名菜。是选用鸡蛋，配椿芽，加盐、豆粉、味精等料制成。含有较丰富的蛋白质、脂肪，碳水化合物，维生素 A、B_1、B_2、C、尼克酸，以及钙、磷、铁等营养素。

烹调类型：经烘烹制而成的咸鲜味型热菜。

主料：鸡蛋三个。

配料：椿芽 25 克。

调料：豆粉 10 克，盐 2 克，味精 0.5 克，猪油 7.5 克。

制作要领：烘蛋时火候要掌握好（不能燃明火，可用竹签插入蛋内，取出验看，已干即是烘好了）。此菜若烘好后，再挂鱼香臊子滋汁，即是鱼香臊子烘蛋。

制作工艺：鸡蛋打入碗，加水豆粉调匀，再加入盐，味精和切碎的椿芽，一并搅和均匀。炒锅置旺火上，下猪油烧热，将锅移微火上，倒入蛋液，并取碗扣在锅中鸡蛋上，同时逐次从锅边淋下少许猪油（共用约 25 克），约烘 10 分钟至熟，然后滗去余油，去掉扣碗，取盘覆蛋上，将蛋翻扣于盘中即成。

成菜特点：色泽金黄，松泡酥散，鲜嫩清香。

（三十七）泸州烘蛋

泸州烘蛋为四川省名菜。是选用鸡蛋，加面粉、豆粉、盐、味精、冷汤等料制成。含有较高的蛋白质、脂肪、维生素A、B_1、B_2、尼克酸、钙、磷、铁。还含有碳水化合物。

烹调类型：经烘、炸烹制而成的咸鲜味型热菜。

主料：鸡蛋三个。

调料：面粉20克，豆粉15克，汤40克，猪油200克，盐2克，味精0.5克。

制作要领：烘制时要注意火候；炸时油温不要过高，以120℃—150℃为宜。

制作工艺：鸡蛋打入碗，加盐、味精、面粉、豆粉、冷汤调成较稀的蛋浆。锅置中火上，炙后，放猪油烧热（约120℃），倒入蛋浆，并用铲不断搅动蛋浆至较稠，同时将四周的蛋皮向中折叠成四方形，待烘干，放入少许油松动蛋坯，然后翻面，烘至两面表皮起酥时起锅，改成菱形块。锅内放猪油烧热（约120℃），放入蛋块炸至体泡色呈金黄时捞出，装盘即成。

成菜特点：色泽金黄，外酥内嫩，鲜香可口。

（三十八）樟茶鸭子

樟茶鸭子为四川省筵席名菜。是选用肥公鸭，加盐、花椒、胡椒粉、料酒、醪糟等调味品制成。含有丰富的蛋白质、脂肪，维生素E、B_1、B_2、尼克酸，以及钙、磷、铁等营养素。且具有滋阴补虚，利尿消肿的食疗作用。

烹调类型：用香樟叶、茶叶、柏枝、锯末等熏料经腌、熏、蒸、炸烹制而成的烟香味型热菜。

主料：嫩肥公鸭一只（约1000克）。

调料：花椒3克，盐5克，胡椒粉3克，料酒15克，醪糟10克，菜油500克，香油15克。

制作要领：腌渍时肉厚处可多抹些调料；腌渍后要晾干水再熏；上笼蒸要用旺火。

制作工艺：鸭宰杀，开膛洗净后，在腹腔内抹上花椒、盐、胡椒粉，再将料酒和醪糟拌匀抹在鸭皮上，余下的再抹在腹腔内，将鸭放盆中腌渍12小时取出晾干水。香樟叶、茶叶、柏枝、锯末和匀为熏料，分为三份。用木盆一个放于地上，取土碗一只放盆中，放入熏料一份，加烧红的杠炭，然后在木盆口放一张铁丝网，鸭放于网上，另用一大盆罩上。如此三次，第一次熏10分钟，第二次熏7分钟，第三次熏5分钟。熏时注意翻动，使表皮颜色都呈深黄色。鸭熏好后，放入蒸碗中，上笼蒸熟（约3小时），取出晾冷。锅置旺火上，放菜油烧热（约180℃），放入鸭子炸至皮酥色呈棕红时捞出，分部位砍成小块，按鸭形摆于盘中，刷上香油。另配香油、甜酱、葱白和荷叶饼上桌。

成菜特点：色红油亮，皮酥肉嫩，带有香樟和茶叶的特殊香味，佐酒最宜。

（三十九）神仙鸭子

神仙鸭子为四川省名菜。是选用开膛肥鸭，配水发冬菇、水发兰片、熟火腿、干贝、瓢儿白，加多种调味品制成。含有丰富的蛋白质、脂肪，维生素E、B_1、B_2、C、尼克酸，以及钙、磷、铁等营养素。且具有滋阴补虚的作用。

烹调类型：经炸、烧烹制而成的咸鲜味型热菜。

主料：开膛肥鸭一只（约1000克）。

配料：冬菇50克，兰笋50克，火腿50克，干贝25克，瓢儿白25克。

调料：料酒30克，素油500克，葱10克，姜10克，盐3克，胡椒粉1克，糖色10克，汤1000克，豆粉15克，鸡油10克，味精0.5克。

制作要领：垫底的鸡鸭骨要先入水汆透；烧鸭子时所加汤以刚淹过鸭子为准；烧时火候要到家，烧至鸭肉酥软为度。

制作工艺：肥鸭去尽杂毛洗净，入沸水锅汆去血水，捞出割去肛门、翅，宰去嘴壳，擦干水分，抹上料酒，入热油锅中（约200℃）炸呈浅黄色捞起。冬菇、兰笋、火腿分别片成片，干贝洗净，加汤上笼蒸透取出。取纱布一张，将火腿片、兰笋片、冬菇片分别整齐地摆在纱布上，上放鸭子，将纱布包拢，放入垫有鸡鸭骨的罐内，加葱节、姜片、盐、胡椒粉、料酒、糖色和汤，用大火烧沸，去掉浮沫。改用小火烧至骨松肉烂时，将纱布包捞出，解开纱布翻扣于盘中。瓢儿白洗净，先用开水汆过，冲凉沥干后，再入锅加汤烧入味，捞出沥干后，摆在鸭子四周。罐内原汁倒入锅中，下干贝、味精上味，用水豆粉勾清芡收浓，淋入鸡油，起锅浇于鸭上即成。

成菜特点：色润金红，烂酥鲜美，香味浓郁，最宜老年人食用。

（四十）魔芋烧鸭

魔芋烧鸭为四川省乡土风味名菜。是选用鲜嫩肥鸭，配魔芋豆腐、嫩仔姜、青蒜苗，加郫县豆瓣和多种调味品制成。

含有丰富的蛋白质、脂肪、碳水化合物，维生素 E、B_1、B_2、尼克酸，以及钙、磷、铁等营养素。

烹调类型：经烧烹制而成的家常味型热菜。

主料：肥鸭一只（约 1000 克）。

配料：魔芋豆腐 150 克。

调料：嫩仔姜 10 克，蒜苗 15 克，郫县豆瓣 25 克，素油 75 克，花椒 2 克，盐 2 克，料酒 10 克，酱油 15 克，味精 0.5 克，豆粉 15 克，汤 500 克。

制作要领：魔芋豆腐要氽去石灰水味；烧时魔芋不能烧得过久，否则易吐水，使质变老。

制作工艺：鸭经初加工洗净后，去头、翅尖、鸭掌，剁成长约 5 厘米、宽 2 厘米的一字条；魔芋切成与鸭条相似的条，入开水中氽后然后漂于清水中；仔姜洗净切成细丝；蒜苗切成约 2 厘米长的斜刀节；郫县豆瓣剁细。炒锅置旺火上，下油烧热，放入鸭条煸炒，至鸭条呈现黄色斑点时铲出；洗净锅，另下油烧热（约 120℃），下豆瓣、花椒炒出香味，加入鲜汤烧沸，去净渣皮，放入鸭条烧沸，去尽浮沫，加盐、姜、料酒、酱油，改用小火烧至鸭肉烂软时（约 30 分钟），将魔芋沥干水分倒入锅中，烧至魔芋入味，加入味精、蒜苗，用水豆粉勾芡，收汁亮油起锅即成。

成菜特点：色泽红亮，鸭肉烂软，魔芋柔嫩滑润，味咸鲜香辣，川味突出。

（四十一）虫草蒸麻鸭

虫草鸭子为四川省传统名菜。是选用肥麻鸭，配虫草、清汤，加盐、料酒、姜、葱等多种调味品制成。含有丰富的蛋白质、脂肪、维生素E和B族维生素，及钙、磷、铁，具有滋阴补虚，益肾固精的功效。

烹调类型：经蒸烹制而成的咸鲜味型汤菜。

主料：肥鸭一只（约1000克）。

配料：虫草10克。

调料：盐2克，料酒10克，姜10克，葱10克，味精1克。

制作要领：鸭宰杀加工时，不能伤皮；上笼一定要蒸烂，方能入味。

制作工艺：活鸭宰杀洗净，去嘴壳、鸭掌，在鸭背尾部横割开一小口，掏出内脏，去翘，洗净，入锅煮至紧皮去血水，捞出将翅扭翻在背上盘好；虫草去掉草尖，洗净，用温水浸泡约15分钟。以尖竹筷在鸭脯上均匀地戳上一些小孔（深约1厘米），将虫草逐一插入孔中（头内尾外），然后将鸭放入碗中，加盐、料酒、姜、葱，再用皮纸封紧碗口，上笼用旺火蒸烂（约3小时）取出拣去姜、葱，加味精调好味，装入汤罐内即成。

成菜特点：成菜形整，鸭肉烂软，汤味鲜醇。

（四十二）太白鸭子

太白鸭子为四川省传统名菜。是选用嫩肥鸭，配三七、枸杞子，加陈年绍酒、葱、姜、盐、胡椒粉等多种调料制成。含有丰富的蛋白质、脂肪、碳水化合物，维生素E和B族维生素和多种矿物质。具有滋阴补血、益精明目的功效。

烹调类型：经蒸制而成的咸鲜味型热菜。

主料：嫩肥鸭一只（约1000克）。

配料：三七0.5克，枸杞子50克。

调料：绍酒 15 克，盐 3 克，胡椒粉 2 克，姜 10 克，葱 10 克，鲜汤 50 克。

制作要领：鸭要腌渍入味，方上笼蒸；蒸时所加鲜汤要用高级清汤。

制作工艺：鸭子宰杀开膛洗净后，入汤锅出一水，斩去鸭掌，用绍酒、盐、胡椒粉将鸭身内外抹匀，装入容器中，加姜、葱、枸杞子、三七、鲜汤，然后用皮纸封口，上笼旺火蒸炬（约蒸三小时），取出揭去皮纸，拣去葱姜，装盆即成。

成菜特点：体形完整，色白肉肥炬，汤味鲜醇。

（四十三）香酥鸭

香酥鸭为四川省名菜。是选用肥鸭，加多种调料制成。含有较高的蛋白质、脂肪，维生素 E、B_1、B_2、尼克酸，钙、磷、铁等营养素。

烹调类型：经腌、蒸、炸烹制而成的五香味型热菜。

主料：肥鸭一只（约 1000 克）。

调料：精盐 3 克，姜 10 克，葱 10 克，花椒 2 克，料酒 15 克，三奈 2 克，丁香 2 克，八角 2 克，茴香 2 克，酱油 15 克，菜籽油 500 克。

制作要领：腌制所用的调味品要均匀地放在鸭子周围，使之入味均匀。蒸制时不宜过炬，油炸时要掌握好油温。

制作工艺：活鸭宰杀，去尽毛及翅尖、脚爪，剖腹去内脏，洗净沥干水，内外抹上精盐，放入盛器中；将姜（拍松）、葱（挽结）、花椒、料酒、三奈、八角、茴香、丁香等放在鸭子周围，腌制三小时（中间要翻动几次），入笼大火蒸炬（蒸约 1 小时），趁热抹一层酱油。锅置火上烧热，加入菜籽油，烧至八成热时（约200℃）下入鸭子，炸至皮呈金红色时捞出装盘即成。

成菜特点：色泽金红发亮，皮酥肉嫩。

（四十四）烧　　鸭

烧鸭为四川省成都市名菜。是选用嫩肥仔鸭，加多种调料制成。含丰富的蛋白质、脂肪、维生素E、B_1、B_2、尼克酸，钙、磷、铁等营养素。

烹调类型：经烤烹制而成的香酥味型菜肴

主料：嫩肥仔鸭一只（约1000克）。

调料：冬菜50克，泡辣椒10克，姜、葱各10克，盐2克，豆豉10克，五香粉3克，鲜汤150克，饴糖10克。

制作要领：鸭腹填入调料和汤口要封住，防止烤制时流出，烤制要用炭火不要用明火，以防烟熏味重。

制作工艺：仔鸭宰杀脱毛，从翅根处开膛挖出内脏，洗净后装入冬菜、泡辣椒、姜、葱、盐、豆豉、五香粉、鲜汤等调料，鸭腹内用一节竹棍撑起胸部以保持形态丰满，用竹签锁住肛门。锅内加清水烧沸，放入鸭略烫，沥干水分用饴糖均匀地抹在鸭身上，晾干。烤炉中加青杠柴烧燃，待木柴烧完成木炭时，将鸭子置于烤炉中烤至皮色金黄，熟时取出，倒出调料，切块装碗，浇上卤水（系用鸭腹内倒出的汤料加鲜汤及调料熬成）即成。

成菜特点：色泽美观，皮酥肉嫩，口味鲜美，香气扑鼻。

（四十五）烟熏鸭子

烟熏鸭子为四川省名菜。是选用当年仔鸭，加多种调料制成。含丰富的蛋白质、脂肪、维生素E、B族维生素，钙、磷、铁等营养素。

烹调类型：经腌、烫、卤而制成的烟香味型冷菜。

主料：仔鸭一只（约1000克）。

调料：卤水500克，精盐20克，八角10克，花椒15克，生姜25克，糖浆50克。

制作要领：卤水要用老卤；卤制时要用重物将鸭子全部压入卤水中；卤制时间不能太长，一般20分钟即可。

制作工艺：将仔鸭宰杀脱毛，开膛掏出内脏，洗净后去翅尖、鸭脚，加盐码味腌渍一夜后，入沸水中略烫至皮紧，沥干水分，置熏炉中用稻草燃烟熏至茶色。卤水中加入香料、食盐、糖色，放入鸭子卤熟，食时改刀装盘即成。

成菜特点：色泽金红，肉质细嫩，熏香浓郁。

（四十六）旱蒸酸菜鸭

旱蒸酸菜鸭为四川省名菜。是选用光鸭、酸菜及生姜等调味品精制而成。含有丰富的蛋白质，矿物质，具有清热开胃的功效。

烹调类型：经蒸制而成的咸酸味型热菜。

主料：光鸭一只（约750克）。

配料：酸菜100克。

调料：生姜10克，胡椒2克，盐2克，味精1克，葱花10克。

制作要领：重在调味，盐不宜多，味不宜咸。

制作工艺：光鸭洗净，擦干水分，斩成四块，放入容器内，酸菜切粗丝盖在鸭子上。生姜洗净，用刀拍开，同胡椒、盐一起放在酸菜上，上笼蒸 2 小时（用压力锅或汽锅，蒸制时间可短些），至鸭肉软烂，起锅后加味精，撒上葱花即成。

成菜特点：汤清味鲜，微酸不腥。

（四十七）仔姜爆鸭丝

仔姜爆鸭丝为四川省风味名菜。是选用烟熏鸭，配鲜嫩仔姜、红甜椒、青蒜苗、加多种调味品制成。含有丰富的蛋白质、脂肪、维生素 E、B_1、B_2、尼克酸，以及钙、磷、铁等营养素。

烹调类型：经爆烹制而成的咸鲜味型热菜。

主料：烟熏鸭 350 克。

配料：仔姜 50 克，红甜椒 15 克，蒜苗 15 克。

调料：郫县豆瓣 10 克，混合油 50 克，酱油 10 克，白糖 10 克，料酒 10 克。

制作要领：爆鸭丝要快；选鸭脯肉为佳；此菜也有不用郫县豆瓣的。

制作工艺：烟熏鸭蒸熟，去骨切成二粗丝；甜椒去籽洗净与仔姜均切成粗丝；蒜苗切成短节；郫县豆瓣剁细。炒锅置旺火上，下混合油烧热（约 150℃），下鸭丝稍爆，放入甜椒、仔姜丝煸炒几下，加入郫县豆瓣翻炒，再加入酱油、白糖、料酒、蒜苗炒出香味起锅装盘即成。

成菜特点：色泽鲜艳，烟味突出，仔姜浓香，风味独具。

（四十八）红烧鸭卷

红烧鸭卷为四川省筵席名菜。是选用鲜嫩肥鸭，配瘦火腿、兰片、口蘑、菜心、猪网油、鸡蛋，加多种调料制成。含有丰富的蛋白质、脂肪，维生素E、B_1、B_2、尼克酸，钙、磷、铁等营养素。饱和脂肪酸含量较高。

烹调类型：经炸、烧、蒸烹制而成的咸鲜味型热菜。

主料：肥鸭一只（约1000克）。

配料：口蘑50克，兰片50克，火腿丝30克，猪网油250克，菜心50克。

调料：鸡蛋2个，猪化油500克，豆粉30克，鲜汤500克，姜10克，葱10克，盐4克，料酒10克，酱油10克。

制作要领：网油要修平，并用刀背稍拍；鸭卷用网油包裹后，其接口处要用蛋清豆粉粘牢；入锅炸时油温不宜过高；挂滋汁用芡要适量。

制作工艺：鸭宰杀开膛洗净后，切下头、翅、脚后，剁成块，鸭身去皮，剔去骨（骨架剁成块），将肉片成长6厘米、宽4厘米的薄片；口蘑、兰片、火腿均切成细丝；猪网油切成10厘米长的等边三角形；鸡蛋连清带黄与豆粉调匀；菜心去筋烹入味待用。鸭片上放火腿丝、口蘑丝、兰片丝，裹成卷，用抹上蛋豆粉的网油将鸭卷裹好，依次做完。锅置旺火上，下猪化油烧热，下鸭卷炸呈黄色捞出。锅内留油约100克烧热，下鸭头、翅、脚、骨等稍煸炒，加鲜汤烧沸，再加入姜、葱、盐、料酒、酱油等调味品烧沸，去尽浮沫，放入鸭卷，用小火煨至七成熟时起锅，取出鸭卷整齐地排放装碗，用皮纸封住碗口，上笼用旺火蒸熟（约30分钟），取出撕去封纸，取菜心垫于盘底，将鸭卷翻扣其上。原汁勾二流芡，淋于鸭卷上即成。

成菜特点：鸭卷金黄，肥美软嫩，味浓鲜香。

（四十九）番茄烩鸭腰

番茄烩鸭腰为四川省筵席名菜。是选用大鸭腰，配鲜番茄，加鸡汤、鸡油等多种调味品制成。含有较高的蛋白质、脂肪、胆固醇，维生素 A、B_1、B_2、C、尼克酸，以及钙、磷、铁等营养素。

烹调类型：经烩烹制而成的咸鲜味型热菜。

主料：鸭腰 300 克。

配料：番茄 100 克。

调料：鸡汤 500 克，猪油 25 克，葱白 10 克，姜 10 克，盐 2 克，胡椒粉 1 克，料酒 10 克，水豆粉 15 克，味精 0.5 克，鸡油 10 克。

制作要领：番茄不能下锅太早，可待鸭腰稍烩后再入锅。

制作工艺：鸭腰入沸水锅浸透（水微开），捞出冲凉，对剖，撕去皮；番茄去皮、籽，改成薄片。炒锅置旺火上，下猪化油烧热（约 150℃），放入姜片、葱白段炒出香味，加鸡汤烧沸出味后，捞去葱姜，下鸭腰，加盐、胡椒粉、料酒、番茄烧沸，用水豆粉勾薄芡，加入味精，淋上鸡油，装盘即成。

成菜特点：色泽美观，鲜嫩清淡，咸鲜中略带番茄的甜酸味。

（五十）熘鸭肝

熘鸭肝为四川省名菜，是选用鲜鸭肝，配泡红辣椒、水发兰片、口蘑，加多种调味品制成。含较多的蛋白质、胆固醇、维生素 A、B_1、B_2、尼克酸，以及钙、磷、铁等营养素。

烹调类型：经熘烹制而成的咸鲜味型热菜。

主料：鸭肝 350 克。

配料：泡红辣椒 10 克，水发兰片 50 克，水发口蘑 30 克。

调料：盐 3 克，料酒 10 克，蛋清 15 克，豆粉 20 克，姜、蒜各 10 克，酱油 10 克，红酱油 5 克，白糖 10 克，醋 5 克，味精 0.5 克，葱 10 克，鲜汤 50 克，猪化油 50 克。

制作要领：鸭肝宜选色黄完整者；片鸭肝宜大张；鸭肝下锅时油温不宜高。

制作工艺：鸭肝洗净，片成薄片，加盐、料酒、蛋清豆粉拌匀；泡红辣椒去籽，斜切成 2 厘米长的段；兰片、口蘑均切片；姜蒜切成薄片；水豆粉、酱油、红酱油、白糖、醋、味精、葱段加冷鲜汤在碗内搅匀成滋汁待用。炒锅置旺火上，放猪化油烧热（约 100～120℃），下鸭肝拨散，再将姜、蒜、兰片、口蘑、泡辣椒入锅炒匀，烹入滋汁炒匀后，迅速起锅装盘即成。

成菜特点：鲜艳美观，鸭肝细嫩味美。

（五十一）口蘑烩舌掌

口蘑烩舌掌为四川省筵席名菜。是选用鲜鸭舌、鸭掌，配口蘑、熟瘦火腿，加鸡汤、鸡油及多种调味品制成。含有丰富的蛋白质、脂肪，维生素 B_1、B_2、尼克酸，钙、磷、铁等营养素。且含丰富的胶质蛋白质，有美容功效。

烹调类型：经煮、蒸、烩烹制而成的咸鲜味型热菜。

主料：鸭舌 200 克，鸭掌 150 克。

配料：口蘑 50 克，熟瘦火腿 50 克。

调料：鸡汤 500 克，料酒 10 克，胡椒粉 2 克，味精 1 克，葱、姜各 15 克，猪化油 50 克，鸡油 10 克，豆粉 10 克。

制作要领：鸭掌要煮好，以能去骨抽筋为度；上笼要蒸烂；滋汁宜薄宜宽。

制作工艺：鸭舌和掌去尽外皮、洗净，入沸水锅内煮透，捞出用凉水冲洗后，整形地去尽软、硬骨，然后再入沸水中汆一次，去胶汁后，盛碗中加料酒、胡椒粉、味精、葱节、姜片、火腿（切成小方片）、鸡汤上笼蒸烂取出。口蘑洗净，用好汤煨入味。炒锅置旺火上，下猪化油烧热，下葱节、姜片炒出味，加鸡汤烧沸，拣去葱、姜，将蒸好的鸭舌、掌沥干水入锅，并下口蘑同烩片刻，勾芡收汁，放入鸡油，起锅盛入圆盘即成。

成菜特点：色形大方，质地柔韧烂软，清鲜爽口。

畜肉类菜式

（一）蒜泥白肉

蒜泥白肉为四川省家常风味名菜。是选用连皮鲜猪臀肉，加蒜泥、复制酱油、红油等调料制成。含丰富的蛋白质、脂肪，维生素 B_1、B_2、尼克酸、钙、磷、铁等营养素。

烹调类型：经煮、拌烹制而成的蒜香味型冷菜。

主料：猪臀肉 500 克。

调料：大蒜 50 克，上等酱油 50 克，红油 10 克，盐 2 克，冷汤 50 克，红糖 10 克，香料 3 克，味精 1 克。

制作要领：注意煮的时候刚熟即可，并在原汤中浸泡至温；片肉时手要稳，拉锯进刀，要片张完整，薄而不穿。

制作工艺：猪肉洗净，入汤锅煮熟，再用原汤浸泡至温热，捞出揩干水分，片成长约 10 厘米、宽约 5 厘米的薄片装盘。大蒜捶茸，加盐、冷汤调成稀糊状，成蒜泥；上等酱油加红糖、香料在小火上熬制成浓稠状，加味精即成复制酱油。将蒜泥、复制酱油、红油兑成味汁淋在肉片上即成。

成菜特点：肉白汁红，蒜香味浓，香辣爽口。

（二）芝麻肉丝

芝麻肉丝为四川省筵席名菜。是选用猪净瘦肉，配芝麻，加多种调料制成。含有丰富的蛋白质、脂肪，及B族维生素，钙、磷、铁等营养素。

烹调类型：经炸收烹制而成的咸鲜味型冷菜。

主料：猪瘦肉500克。

配料：熟芝麻25克。

调料：姜、葱各10克，盐4克，料酒10克，菜油500克，白糖25克，八角2克，糖色10克，味精1克，香油10克，鲜汤350克。

制作要领：油炸时肉丝可先用冷菜油拌匀，使其下锅后易散；炸时油温不宜高，肉丝不宜炸得过干；收制时间不宜过长；此菜也可加入红油，但辣味不宜过重。

制作工艺：猪肉洗净，切成长约10厘米的粗丝，用姜（拍破）、葱、盐、料酒拌匀码味约30分钟。锅置旺火上，下菜油烧热（约150℃），下肉丝炸至呈浅黄色时捞出，滗去炸油，锅洗净，放肉丝，加鲜汤烧沸，去尽油沫，加盐、白糖、八角、糖色烧沸后，移小火收至汁干吐油时，放入味精、香油略收，起锅晾冷，装盘撒上熟芝麻即成。

成菜特点：酥香滋润，鲜香带甜。

（三）糖醋排骨

糖醋排骨为四川省名菜。是选用猪签子排骨（正肋骨），加盐、白糖、料酒、花椒、熟芝麻等料制成。含丰富的蛋白质、不饱和脂肪酸、B族维生素、钙、磷、铁等营养素。特别富含钙质。

烹调类型：经蒸、炸烹制而成的糖醋味型热菜。

主料：猪排骨400克。

配料：熟芝麻 25 克。

调料：盐 2 克，花椒 2 克，料酒 15 克，姜 10 克，葱 10 克，素油 500 克，鲜汤 150 克，醋 50 克，白糖 100 克，香油 10 克。

制作要领：蒸至稍用力肉骨即分离为度，也可采取煮的方法，醋在起锅前放入，效果较佳。

制作工艺：猪排骨斩成长约 5 厘米的节，入沸水内出水，捞出装入蒸盆中，加盐、花椒、料酒、姜、葱、鲜汤入笼蒸至肉离骨时，取出排骨。锅置旺火上，下油烧热至 180℃，放入排骨炸呈金黄色捞出，滗去炸油。另下素油烧热，炒糖汁，加鲜汤，下排骨、白糖用微火收汁，汤汁将干时，加醋，待亮油起锅，淋上香油，装盘晾凉，撒上芝麻拌匀即成。

成菜特点：色泽红亮，干香滋润，甜酸味醇。

（四）回锅肉

回锅肉为四川省传统风味名菜。是选用带皮猪坐臀肉，配蒜苗，加郫县豆瓣、甜酱、酱油等调料制成。含丰富的蛋白质、脂肪、维生素 B_1、B_2、C、尼克酸，以及钙、磷、铁等。

烹调类型：经煮、炒烹制而成的家常味型热菜。

主料：猪肉 500 克。

配料：蒜苗 100 克。

调料：郫县豆瓣 20 克，素油 50 克，料酒 15 克，甜酱 20 克，白糖 15 克，红酱油 10 克。

制作要领：猪肉煮至断生，即肉色转白，皮软能掐得动为度；掌握好火候；下肉时以四成油温为宜；放入甜酱时，火应稍弱，及下蒜苗时，火力应加强，以迅速使其炒熟起锅。

制作工艺：猪肉洗净，入汤锅煮至断生捞出（约煮一刻钟），晾冷后切成长约5厘米、宽4厘米、厚0.3厘米的片；郫县豆瓣剁细；蒜苗切成长约3厘米的节。炒锅置火上，下油烧热（约80～100℃），放肉炒至呈“灯盏窝”形，烹入料酒，下豆瓣炒香上色，再放甜酱炒出香味，然后放白糖和红酱油炒匀，下蒜苗迅速炒至断生起锅，装盘即成。

成菜特点：色泽红亮，衬以碧绿，形如灯盏，香气浓郁，微辣回甜，肥而不腻。

（五）盐煎肉

盐煎肉为四川省乡土风味名菜。是选用去皮鲜猪腿肉，配蒜苗，加郫县豆瓣、豆豉、酱油、白糖等调料制成。含较高的蛋白质、脂肪、维生素B_1、B_2、C、尼克酸、钙、磷、铁等营养素。

烹调类型：经炒烹制而成的家常味型热菜。

主料：猪腿肉400克。

配料：蒜苗50克。

调料：郫县豆瓣20克，豆豉15克，酱油10克，白糖25克，素油50克，盐2克。

制作要领：肉片不码味，直接入锅；炒时火不宜大，可先旺火，后用中火；肉片出油后再下调料；蒜苗不宜久炒，断生出香味即可。也可用蒜苔、大葱、青椒等代替蒜苗。

制作工艺：猪肉切成长约5厘米、宽3厘米、厚0.3厘米的片；郫县豆瓣剁细；蒜苗切成长约2.5厘米的节。炒锅置旺火上，下油烧热（约120℃），放肉片略炒，加盐炒至肉吐油，下豆瓣、豆豉炒至香味上色，再放酱油、白糖炒匀，下蒜苗炒断生，出香味，起锅装盘即可。

成菜特点：色泽棕红，香气浓郁，咸鲜微辣，川味突出。

（六）鱼香肉丝

鱼香肉丝为四川省传统风味名菜。是选用鲜猪肉，配水发兰片、木耳、泡辣椒，加酱油、醋、糖、姜、蒜、葱等多种调料制成。含有丰富的蛋白质、脂肪、碳水化合物、维生素 B_1、B_2、尼克酸，以及钙、磷、铁、钾等营养素。

烹调类型：经炒烹制而成的鱼香味型热菜。

主料：猪肉 350 克。

配料：水发兰片 100 克，水发木耳 25 克，泡辣椒 15 克。

调料：盐 3 克，姜 5 克，蒜 10 克，葱 10 克，素油 50 克，酱油 10 克，醋 5 克，糖 15 克，味精 1 克，鲜汤 20 克，豆粉 25 克。

制作要领：宜选肥肉三成、瘦肉七成的猪后腿肉，炒肉丝时动作要快；泡红辣椒绝不可缺。

制作工艺：猪肉切成长约 7 厘米、0.3 厘米粗的丝，加盐、水豆粉拌匀；兰片、木耳洗净，切成丝，泡红辣椒剁细；姜、蒜切细末，葱切成花；用酱油、醋、白糖、味精、水豆粉、鲜汤、盐兑成芡汁。炒锅置旺火上，放油烧热（约 180℃），下肉丝炒散，加泡辣椒、姜、蒜末炒出香味，再放木耳、兰片丝、葱花炒匀，烹入芡汁，迅速翻簸起锅装盘即成。

成菜特点：颜色红艳，肉质细嫩，咸、甜、酸、辣四味兼备，姜、蒜、葱香突出。

（七）合川肉片

合川肉片为四川省乡土风味名菜。是选用去皮的鲜猪腿肉，配水发玉兰片、木耳、鲜菜心，加泡辣椒、姜、葱、蒜、白糖、酱油、醋、鸡蛋、豆粉等多种调料制成。含有丰富的蛋白质、脂肪，B族维生素和维生素C，以及钙、磷、铁等营养素。

烹调类型：经煎、熘烹制而成的荔枝味型热菜。

主料：猪腿肉400克。

配料：水发玉兰片100克，水发木耳30克，鲜菜心50克。

调料：泡辣椒10克，姜、蒜、葱各10克，盐3克，酱油10克，醋10克，糖15克，味精1克，料酒10克，鲜汤40克，豆粉25克，鸡蛋25克，素油150克。

制作要领：肉片上浆要掌握好，呈半流体状为好；煎时火不宜大，煎至外酥内嫩；烹入芡汁后要迅速起锅。

制作工艺：猪肉切成长约4厘米、宽4厘米、厚0.3厘米的片，加盐、料酒、鸡蛋、豆粉拌匀；水发玉兰片切成薄片，泡辣椒去籽切成菱形，姜、蒜切片，葱切成马耳朵形，用酱油、糖、醋、味精、水豆粉、鲜汤兑成芡汁。炒锅置旺火上，放油烧热（约120℃），将肉片理平入锅，煎至呈金黄色时翻面，待两面都呈金黄色后，将肉片拨至一边，下泡辣椒、姜、蒜、木耳、兰片、菜心、葱迅速炒几下，然后与肉片炒匀，烹入芡汁，迅速翻簸起锅，装盘即成。

成菜特点：颜色金黄，外酥内嫩，酸甜鲜香。

（八）锅巴肉片

锅巴肉片为四川省传统风味名菜。是选用猪里脊肉，配大米锅巴、水发冬菇、玉兰片、泡辣椒、豌豆苗，加蛋清、豆粉、酱油、醋、白糖、料酒、盐等多种调料制成。含有丰富的蛋白质、脂肪、碳水化合物，维生素B_1、B_2、C、尼克酸，以及钙、磷、铁等营养素。

烹调类型：经炸、炒、烩烹制而成的荔枝味型热菜。

主料：猪里脊肉300克。

配料：大米锅巴100克，玉兰片50克，水发冬菇50克，豌豆苗50克。

调料：葱10克，姜5克，蒜10克，泡辣椒10克，酱油10克，胡椒粉2克，料酒20克，味精1克，白糖25克，醋15克，盐3克，蛋清25克，豆粉30克，素油250克，猪化油100克，鲜汤50克。

制作要领：要用两口锅同时烹制，一锅炒肉片，另一锅下素油烧沸，待肉片起锅，迅速下锅巴炸，这样肉片和锅巴才都能保持相当热度；炸锅巴的油温要高。

制作工艺：猪里脊肉去尽白筋，横切成薄片，用盐、胡椒粉、料酒、味精拌匀，并用蛋清豆粉挂好浆；冬菇去蒂片成片，玉兰片片成片；葱切成节，姜、蒜切片，泡辣椒去籽切成斜刀片；锅巴掰成5厘米见方（或圆形）的块。用酱油、胡椒粉、料酒、味精、白糖、醋、盐、水豆粉加鲜汤兑成芡汁。炒锅置火上，下猪化油烧热（约180℃），将肉片入锅炒散，滑熟，倒入漏勺。锅内留底油，下冬菇、玉兰片，泡辣椒、姜、蒜、葱，稍炒，下肉片炒匀，烹入芡汁，下豌豆苗，稍收，起锅装碗。锅巴入烧沸的素油锅中，炸至黄色，浮起即捞起，装入窝盘，并浇上少量沸油，将锅巴和炒好的肉片同时上桌，趁油烫迅即将肉片淋于锅巴上即成。

成菜特点：上菜形式别致，糖醋香味浓郁，肉片滑嫩，锅巴酥脆。

（九）甜椒肉丝

甜椒肉丝为四川省名菜。是选用猪肥瘦肉，配甜椒、青蒜苗、嫩姜，加酱油、甜酱、料酒等调料制成。含有较高的蛋白质、脂肪、碳水化合物，维生素 B_1、B_2、C、尼克酸，以及钙、磷、铁等营养素。

烹调类型：经炒烹制而成的咸鲜味型热菜。

主料：猪肥瘦肉 350 克。

配料：甜椒 100 克，青蒜苗 50 克，嫩姜 20 克。

调料：水豆粉 50 克，盐 3 克，料酒 20 克，酱油 10 克，味精 1 克，鲜汤 25 克，素油 50 克，甜酱 20 克。

制作要领：宜选用肥三分、瘦七分的猪肉；肉丝码芡时水分要足；甜椒炒断生时，可下盐少许；炒时动作要快。

制作工艺：猪肉切成二粗丝（长约 5 厘米、粗 0.3 厘米），入碗加水豆粉、盐、料酒拌匀；甜椒去蒂、籽，切成二粗丝，嫩姜切细丝，蒜苗切 3 厘米的节；酱油、料酒、水豆粉、味精、鲜汤装碗内调匀成芡汁。炒锅置火上，下油少许烧热，放入甜椒炒断生起锅。炒锅洗净置旺火上，下油烧热（约 150℃），放肉丝炒散，加甜酱炒香，下甜椒、姜丝、青蒜苗合炒，烹入芡汁，炒匀起锅装盘即成。

成菜特点：红、黄、白、绿相互映衬，脆嫩鲜香，咸鲜微辣。

（十）鱼香碎滑肉

鱼香碎滑肉为四川省名菜。是选用猪肥瘦肉，配水发木耳、水发兰笋、泡辣椒，加盐、酱油、料酒、白糖、醋等调料制成。含有较高的蛋白质、脂肪、碳水化合物，维生素 B_1、B_2、C、尼克酸，钙、磷、铁等营养素。

烹调类型：经炒烹制而成的鱼香味型热菜。

主料：猪肉 350 克。

配料：水发木耳 50 克，水发兰笋 50 克。

调料：泡辣椒 15 克，盐 3 克，酱油 20 克，料酒 20 克，姜 10 克，蒜 10 克，葱 15 克，白糖 30 克，醋 15 克，味精 1 克，豆粉 30 克，汤 30 克，清油 50 克。

制作要领：肉码豆粉不宜厚；入锅时油温不要过高；肉选里脊或后腿尖肉为佳。

制作工艺：猪肉切成指甲大小的薄片，加盐、酱油、料酒、水豆粉拌匀码味；木耳、兰笋洗净切小片，并入开水中汆透沥干；泡辣椒去籽剁细；姜、蒜切细，葱切花；用盐、酱油、料酒、味精、白糖、醋、水豆粉、汤合并入碗兑成芡汁。锅置火上，下油烧热，放入肉片炒散，下泡辣椒、姜、蒜稍炒几下，再下木耳、兰笋、葱花炒匀，烹入芡汁，推匀起锅，装盘即成。

成菜特点：色润红亮，质鲜滑嫩，鱼香味浓。

（十一）坛子肉

坛子肉为四川省筵席名菜。是选用猪带皮五花肉、油炸猪肉丸子、墨鱼、鸡肉、火腿、鸡蛋、冬笋、口蘑和金钩等料，加姜、葱、料酒、醪糟汁、冰糖汁等调料制成。含有丰富的蛋白质、脂肪、碳水化合物，维生素 B_1、B_2、尼克酸，以及钙、磷、铁等营养素。

烹调类型：经煨烹制而成的咸鲜味型热菜。

主料：猪带皮五花肉 500 克。

配料：油炸猪肉丸子 75 克，鸡蛋 200 克，鸡肉 50 克，火腿 25 克，墨鱼 50 克，冬笋 25 克，口蘑 25 克，金钩 10 克。

调料：姜 10 克，葱 15 克，胡椒 2 克，鲜汤 500 克，猪油 250 克，细干豆粉 25 克，精盐 3 克，酱油 15 克，醪糟汁 20 克，冰糖汁 25 克。

制作要领：猪肉、鸡肉都先要出水，再入坛；须用微火慢煨。

制作工艺：猪肉、鸡肉、猪骨入沸水锅中煮几分钟捞出，猪肉切成 7 厘米见方的块，鸡肉切块；鸡蛋煮熟，去壳，裹上细干豆粉，入猪油锅炸成黄色捞出；冬笋切成滚刀块；火腿切粗条，金钩、墨鱼清水涨发后洗净。在陶质小坛内垫放猪骨，将猪肉、鸡肉、墨鱼、金钩、火腿、冬笋、鸡蛋、猪肉丸等放入坛内，加精盐、酱油、醪糟汁、冰糖汁和纱布袋装好的姜（拍破）、葱（挽结）、胡椒（拍碎）、口蘑（涨发），并掺入鲜汤，然后用纸（润湿）封严坛口，将坛置谷糠壳火上煨约五六小时后揭去封纸，取出装姜、葱、口蘑的纱布袋，装入盘中即成。

成菜特点：原料丰富，形态丰腴，色泽棕红，肉质炬糯，味道浓厚，鲜香可口。

（十二）干煸肉丝

干煸肉丝为四川省名菜。是选用鲜猪瘦肉，配干辣椒、鲜冬笋，加酱油、料酒、盐、味精、葱等多种调料制成。含有较高的蛋白质、脂肪，维生素 B_1、B_2、尼克酸，钙、磷、铁等营养素。

烹调类型：经干煸烹制而成的咸鲜味型热菜。

主料：猪肉 350 克。

配料：鲜冬笋 50 克。

调料：干辣椒 5 克，葱 10 克，素油 50 克，料酒 10 克，盐 3 克，酱油 10 克，味精 0.5 克。

制作要领：肉丝粗细要均匀，干辣椒不能炸焦，要在肉丝煸干水气后，再下料酒、酱油等调料。

制作工艺：猪肉切成长约 6 厘米的二粗丝；鲜笋切成长约 5 厘米的二粗丝；葱、干辣椒分别切成细丝。锅置中火上，下素油烧热（约 120℃），放入干辣椒丝炸成棕红色捞起，再下肉丝，煸干水气，加入料酒、盐、酱油、笋丝继续煸炒，煸至干香亮油时，下辣椒丝、味精炒匀，起锅装盘，撒上葱丝即成。

成菜特点：色泽棕红，干香酥软，咸鲜味浓。

（十三）东坡肉

东坡肉为四川省传统风味名菜。相传系宋代大文豪苏东坡所创。是选用猪五花肉，加姜、葱、花椒、料酒、盐、糖色等调料制成。含有较高的蛋白质、脂肪，维生素 B_1、B_2、尼克酸，钙、磷、铁等营养素。

烹调类型：经煨烹制而成的咸鲜味型热菜。

主料：猪肉 750 克。

调料：姜 15 克，葱 20 克，花椒 2 克，料酒 15 克，盐 3 克，糖色 20 克，素油 250 克，鲜汤 750 克。

制作要领：五花肉要改得方正形整；炸时肉皮向下，色不宜深，炸至肉皮上起小泡，色黄即可；煨时先旺火烧沸，撇尽浮沫，再以小火慢煨。

制作工艺：猪肉洗净，与鸡骨共入沸水锅内氽去血水捞出，揾干水，抹糖色，入油锅中炸至猪皮呈金黄色时捞出。姜（拍松）、葱（挽结）、花椒用纱布包好。罐内放鸡骨垫底，放入调料包，加鲜汤，将炸好的肉放入，再加入料酒、盐、糖色，用小火煨至肉㸆，捞出装盘，原汁收浓淋于盘中即成。

成菜特点：色红亮，㸆软酥香，咸鲜微甜，肥而不腻。

（十四）莙菜狮子头

莙菜狮子头为四川省筵席名菜。是选用猪肥瘦肉，配荸荠、金钩、火腿、鲜莙菜尖、鸡蛋、加盐、料酒、胡椒粉等多种调料制成。含有丰富的蛋白质、脂肪，碳水化合物，维生素 B_1、B_2、尼克酸，钙、磷、铁等营养素。

烹调类型：经炸、烧烹制而成的咸鲜味型热菜。

主料：猪肉 500 克。

配料：莙菜 100 克，荸荠 100 克，金钩 30 克，火腿 50 克。

调料：盐 3 克，胡椒粉 3 克，料酒 20 克，蛋清豆粉 40 克，猪油 500 克，姜 10 克，葱 15 克，鲜汤 500 克，味精 1 克，水豆粉 15 克，熟鸡油 10 克。

制作要领：宜用肥瘦各半的猪肉；肉团大小要一致；炸的时间不宜长，火不要大，莙菜可先用猪油炒断生，再入锅烧入味，但烧的时间要短；注意保持肉团形状完整。

制作工艺：金钩泡涨，荸荠去皮，与猪肉、火腿均切成约 3 厘米的小粒，装盆中，加盐、胡椒粉、料酒、蛋清豆粉，拌匀后做成四个相等的扁圆形肉团。莙菜洗净。锅置旺火上，下猪油烧热（约 150℃），放入肉团，炸成呈浅黄色（进皮定型）时捞起，放入罐内，加鲜汤、盐、料酒、姜（拍松）、葱

(挽结)，烧沸撇去浮沫，改用小火煨粑，加入胡椒粉，下苕菜烧入味，放入味精，捞起肉团放盘中，苕菜镶四周，原汁用水豆粉勾薄芡，淋入熟鸡油，浇于盘中即成。

成菜特点：肉质细嫩，鲜爽可口，苕菜清香，是春季时令佳肴。

（十五）香椿白肉丝

香椿白肉丝为四川省筵席名菜。是选用猪后腿肉，配椿芽，加上等酱油、辣椒油、白糖、香油、蒜泥等调料制成。含有较高的蛋白质、脂肪、碳水化合物，维生素 B_1、B_2、C、尼克酸、胡萝卜素，以及钙、磷、铁等营养素。

烹调类型：经煮、拌烹制而成的红油味型冷菜。

主料：猪后腿肉（带皮）500 克。

配料：椿芽 100 克。

调料：上等酱油 20 克，白糖 15 克，辣椒油 10 克，香油 5 克，味精 1 克，精盐 2 克，蒜泥 10 克。

制作要领：切时要使肥瘦相连；椿芽烫焖的时间要短。

制作工艺：猪肉刮洗干净，入汤锅煮熟捞出，放入热汤中浸泡 10 分钟，捞起揾干水分，切成长约 6 厘米的二粗丝，装盘；椿芽洗净，入碗，用开水稍焖，捞出去蒂柄，切成细粒。酱油、白糖、辣椒油、香油、味精、蒜泥、精盐等入碗调匀成味汁，淋于肉丝上，再撒上椿芽粒即成。

成菜特点：色红味浓，咸鲜微辣，芳香适口。

（十六）豆瓣肘子

豆瓣肘子为四川省乡土风味名菜。是选用无骨猪肘，配青蒜苗，加盐、料酒、郫县豆瓣、姜、葱等多种调料制成。含有丰富的蛋白质、脂肪，维生素B_1、B_2、C、尼克酸，钙、磷、铁等营养素。含丰富的胶质蛋白质，有美容养颜作用。

烹调类型：经煨烹制而成的家常味型热菜。

主料：猪肘（去骨）500克。

配料：青蒜苗100克。

调料：郫县豆瓣25克，猪化油50克，鲜汤500克，盐3克，料酒15克，糖色15克，素油30克，水豆粉15克。

制作要领：小火煨，火候要够，肘子才能软糯。

制作工艺：猪肘洗净，与鸡骨入锅出水，捞出冲洗净。用刀将肘子剞成大方块，将鸡骨架垫于锅内，肘子皮向下放于鸡骨上。炒锅置火上，下猪化油烧热，放剁细的豆瓣炒出红色，加鲜汤，沥去豆瓣渣，下盐、料酒、糖色，倒入装肘子的锅中。将锅置大火上烧沸，去掉浮沫，移至小火煨至汁浓肉烂时，将肘子捞出。锅下油烧热，下青蒜苗、盐、料酒、稍炒，起锅垫于盘底，肘子皮向上放于蒜苗上，煨肘子原汁收浓，加水豆粉勾芡，收汁，亮油时，起锅淋于肘子上即成。

成菜特点：色润红亮，肘子糍糯，肥而不腻，微辣鲜香。

（十七）红枣煨肘

红枣煨肘为四川省传统风味名菜。是选用猪肘，配红枣，加冰糖、姜、葱、盐等调料制成。含有丰富的蛋白质、脂肪、碳水化合物，B族维生素和矿物质等。且具有补脾胃，调营卫，生津液，补虚损的功效。

烹调类型：经煨烹制而成的甜咸味型热菜。

主料：猪肘750克。

配料：红枣 50 克。

调料：冰糖 25 克，姜 10 克，葱 15 克，盐 3 克，鲜汤 750 克。

制作要领：冰糖、红枣在肘子煨至熟软时加入，小火慢煨，肘子要保持形整。

制作工艺：猪肘洗净，入沸水去血腥味，捞出冲洗净，红枣去核洗净；冰糖砸碎，一部分炒成糖汁。罐内放鸡骨垫底，上放猪肘，加入鲜汤、姜（拍松）、葱（挽结）、盐、糖汁，用旺火烧沸，撇去浮沫，移小火煨热，拣去葱、姜，下红枣、冰糖继续煨至肘子软糯汁浓，起锅装于大圆盘内（皮向上），原汁淋于肘子上即成。

成菜特点：色红亮，肘子软糯，甜咸适口。

（十八）连锅汤

连锅汤为四川省乡土风味名菜。是选用猪后腿肉，配白萝卜，加姜、葱、干辣椒、花椒、豆瓣、酱油等调料制成。含有丰富的蛋白质、脂肪、碳水化合物，维生素 B_1、B_2、尼克酸、胡萝卜素和钙、磷、铁等营养素。

烹调类型：经煮烹制而成的咸鲜味型汤菜。

主料：猪后腿肉 500 克。

配料：白萝卜 200 克。

调料：姜 10 克，葱 15 克，干辣椒 10 克，花椒 3 克，豆瓣 20 克，酱油 10 克，香油 15 克，味精 2 克，菜油 25 克。

制作要领：肉片应厚薄均匀，薄而不烂；萝卜片不宜厚大，煮时用旺火；无萝卜时，可配冬瓜、青菜头等蔬菜。

制作工艺：猪肉刮洗干净，入沸水煮沸，撇去浮沫，加入花椒、葱（挽结）、姜（拍松），煮至肉刚熟捞出，晾凉后用快刀片成长约10厘米的薄片。萝卜去皮洗净，切成长约7厘米、宽约3厘米、厚约0.3厘米的片，放入煮过肉的汤锅内，旺火煮至萝卜软熟时放入肉片，同煮几分钟，放入味精起锅。炒锅置火上，下菜油烧热，放入干辣椒、花椒炒呈棕红色铲出，用刀剁成细末；豆瓣剁细，入锅炒香至油呈红色时，放入干辣椒、花椒末炒匀起锅装碗，加酱油、味精、香油调匀成香油豆瓣味碟上桌即成。

成菜特点：汤色乳白、回甜，肉片肥瘦适宜，萝卜鲜香。

（十九）鹅黄肉

鹅黄肉为四川省筵席名菜。是选用鸡蛋、猪肉，配荸荠，加胡椒粉、盐、醋、泡辣椒、白糖等调料制成。含较高的蛋白质、脂肪、碳水化合物，维生素A、B_1、B_2、尼克酸，以及钙、磷、铁等营养素。

烹调类型：经炸烹制而成的鱼香味型热菜。

主料：猪肉250克，鸡蛋4个。

配料：荸荠75克。

调料：盐3克，胡椒粉2克，味精1克，鸡蛋豆粉35克，葱10克，姜10克，油500克，泡辣椒10克，酱油15克，醋10克，糖20克。

制作要领：肉馅勿过稀；卷时松紧适度，切时前四刀切至蛋卷宽度的3/5处，每刀间隔约1厘米，最后一刀切断。

制作工艺：荸荠洗净，去皮，与猪肉分别剁细，装碗加盐、胡椒粉、味精、鸡蛋豆粉、葱花、姜末拌匀成馅。鸡蛋调散，入炙好的锅摊成蛋皮，将蛋皮铺案上，抹蛋清豆粉，中放馅料，然后将蛋皮卷成宽约 5 厘米、厚约 0.7 厘米的长方形，再用刀切成“佛手”形。炒锅置旺火上，放油烧热（约 150℃），放入佛手卷入锅炸熟呈黄色时捞出，装盘。下油烧热，将泡辣椒丝炒熟，下酱油、醋、糖烹成鱼香滋汁，淋于佛手卷上即成。

成菜特点：色泽金黄，形如佛手，外酥内嫩，汁浓味香。

（二十）龙眼咸烧白

龙眼咸烧白为四川省名菜。是选用猪带皮五花肉，配芽菜、豆豉、泡红辣椒，加红酱油、盐制成。含有蛋白质、脂肪，维生素 B_1、B_2、C、尼克酸，钙、磷、铁等营养素。

烹调类型：经煮、蒸烹制而成的咸鲜味型热菜。

主料：猪肉 750 克。

配料：芽菜 100 克，泡红辣椒 25 克，豆豉 25 克。

调料：红酱油 35 克，盐 2 克，素油 150 克，汤 750 克。

制作要领：肉片厚薄均匀，卷好成型，肉皮向下立放于碗中；上笼用旺火，一气蒸烂。

制作工艺：猪肉刮洗净，入汤锅煮熟，捞起揾干，在皮上抹红酱油少许，入油锅内烙皮，至呈褐红色时捞出，入汤锅中浸至皮显皱纹时捞出，片成长约 8 厘米、宽 4 厘米、厚 0.4 厘米的片；泡红辣椒切成短节，芽菜切细。肉片每片裹辣椒一节，豆豉二、三粒，呈卷筒状，立装于蒸碗内，再放芽菜、红酱油、盐，上笼蒸烂取出，翻扣于盘中即成。

成菜特点：肥而不腻、烂而不烂、味咸鲜香。

（二十一）荷叶蒸肉

荷叶蒸肉为四川省名菜。是选用猪肋肉、猪瘦肉，配鲜荷叶、鲜嫩青豆、大米粉、豆腐乳汁、葱、姜、白糖等料制成。含有丰富的蛋白质、脂肪、碳水化合物，维生素 B_1、B_2、尼克酸，钙、磷、铁等营养素。

烹调类型：经蒸烹制而成的咸鲜味型热菜。

主料：猪肋肉 400 克，猪瘦肉 350 克。

配料：荷叶五张，大米粉 100 克，泡辣椒 20 克，青豆 50 克。

调料：盐 3 克，酱油 15 克，胡椒粉 2 克，味精 1 克，醪糟汁 5 克，郫县豆瓣 20 克，白糖 50 克，糖色 10 克，豆腐乳汁 15 克，姜 10 克，葱 15 克，花椒 2 克，八角 3 克。

制作要领：米粉要粘裹在肉片上，若太干可适当加些冷汤或清水，蒸时火候要到，要蒸粑。

制作工艺：保肋肉刮洗干净，切成长约 5 厘米、宽 3.5 厘米、厚 0.5 厘米的片；瘦肉切成与保肋肉大小相等、厚 0.3 厘米的片。同放入盆中，加盐、酱油、胡椒粉、味精、醪糟汁、郫县豆瓣（剁细）、白糖、糖色、豆腐乳汁、姜米、葱花混合拌匀，腌渍入味。大米、花椒、八角（铡烂）混合后，用小火干炒成黄色，磨成粗米粉。泡辣椒去籽，切成斜刀块；青豆洗净沥干。鲜荷叶洗净，入沸水中烫一下，取出切成约 15 厘米长的等边三角形（共 20 片）。将米粉与腌渍好的肉片拌匀。然后取荷叶一片，放肋肉一片，再放青豆数粒，泡辣椒一节，上面再放瘦肉一片，包上，共做 20 个。排码于蒸碗中，上笼蒸粑（约三小时），取出翻扣于盘中即成。

成菜特点：外绿内黄，质鲜酥烂，荷叶清香，咸鲜略甜，风味别具。

（二十二）炸蒸肉

炸蒸肉为四川省名菜。是选用猪保肋肉，配鲜豌豆、米粉、面包粉、鸡蛋，加花椒、五香粉、酱油、豆腐乳汁、醪糟汁、白糖、葱、姜、料酒等调料制成。含有丰富的蛋白质、脂肪、碳水化合物，维生素 B_1、B_2、尼克酸，钙、磷、铁等营养素。且发挥了动植物蛋白质互补作用

烹调类型：经蒸、炸烹制而成的椒盐味型热菜。

主料：猪肉 500 克。

配料：鲜豌豆 100 克，米粉 75 克，鸡蛋 50 克，面包粉 50 克。

调料：酱油 10 克，五香粉 2 克，花椒 2 克，豆腐乳汁 10 克，醪糟汁 10 克，白糖 30 克，姜 10 克，葱 10 克，料酒 15 克，盐 2 克，素油 500 克，椒盐 10 克。

制作要领：肉片上米粉要沾匀，蒸要蒸烂；沾上面包粉入锅炸时，油温不要过高，炸的时间不要太长。

制作工艺：猪肉刮洗干净，切成长约 6 厘米、宽 4 厘米、厚 0.4 厘米的片，装碗中，加酱油、五香粉、花椒、豆腐乳汁、醪糟汁、白糖、姜米、葱花、料酒、盐拌匀。腌渍入味后，加米粉、豌豆拌匀。将肉片摆于碗底（成一本书形），上放豌豆，入笼蒸烂，取出翻扣于碗中，拈出肉片，豌豆入笼保温。鸡蛋去壳搅匀，抹于肉片上，再沾上面包粉，入油锅炸至呈金黄色捞起装于条盘中，两端镶上蒸好的豌豆，并配椒盐碟上桌。

成菜特点：黄绿兼有，肉片外酥内烂，肥而不腻。

（二十三）一品酥方

一品酥方为四川省传统高级筵席名菜。是选作带肋骨硬边猪肉一方，配香油、葱白、独蒜、甜酱、双麻酥，加姜、花椒、葱花、盐等调料制成。含较多的蛋白质、脂肪，维生素B_1、B_2、尼克酸，钙、磷、铁等营养素。

烹调类型：经明炉烤制而成的咸鲜味型热菜。

主料：带肋骨硬边猪肉一方（约7.5千克）。

配料：双麻酥饼750克。

调料：生姜15克、大葱15克、精盐10克、花椒5克、绍酒100克、香油25克、蒜片5克、甜面酱20克、白糖10克、清汤750克。

制作要领：要选用肉皮平整、膘厚、毛眼细、无刀伤的硬边带骨猪肋肉；整形以长约40厘米、宽约30厘米下刀（约肋骨七匹）；刺孔时不能刺到皮；燎方和吊膛时要注意火候；烤好后，不可用手拍酥皮。

制作工艺：猪肉刮洗干净，修整齐，用竹签在肋骨缝隙间刺上若干气孔，擦干水分，用铁质双股烤叉由方肉中部平穿过去。干柴放炉内，火苗燎出炉口约30～40厘米，手持叉柄，将肉方的皮向着苗火燎，着重燎肉方的四周和四角，并不断左右转动铁叉，待肉皮上一层很薄的黑焦皮自行脱落（俗称燎方），遂将肉方离开炉火，擦净叉尖，取下肉方放入温水中冲洗，并用小刀轻轻刮去焦皮，揾干水分，抹上用料酒浸泡的姜、葱、盐、花椒汁，并用干净纱布捂半小时。火池里放入烧红的木炭，将肉方重上叉，皮向上，左右侧动，慢慢烤背脊肉厚部位，烤至肉熟（俗称吊膛）。将池中木炭拨至池边，转将肉皮向下烤，此时叉的转动要快，使肉油浸在肉皮上，不滴入池中。烤至方皮呈金黄色时，边烤边刷香油，至用竹筷敲皮发出酥泡声时，将叉离火池，再刷一次香油，擦净叉尖，取出铁叉。用刀将整块酥皮取下，改成长方条形，照原样摆于肉方上，酥皮向上放于大圆盘中。葱白切成花，蒜切片，甜酱加白糖、香油调匀装碟，另配高级清汤、双麻酥一并上席。

成菜特点：色泽金黄，美观大方，咸鲜酥香，爽口不腻。

（二十四）龙眼甜烧白

龙眼甜烧白为四川省名菜。是选用猪肥膘肉，配红枣，洗沙、糯米、红糖，加白糖、水豆粉制成。含丰富的蛋白质、饱和脂肪酸、碳水化合物，维生素 B_1、B_2、尼克酸，钙、磷、铁等营养素。

烹调类型：经煮、蒸烹制而成的甜香味型热菜。

主料：猪肥膘肉 500 克。

配料：红枣 75 克，洗沙 50 克，糯米 100 克。

调料：红糖 15 克，猪油 10 克，白糖 20 克，水豆粉 10 克。

制作要领：肉片要薄而均匀；卷上枣卷后整齐地立放于蒸碗中；糯米上笼蒸 20 分钟，取出在清水浸一次，再上笼蒸粑。

制作工艺：红枣在炭火上将皮烧得微微带焦，用清水浸泡 20 分钟，去掉皮核，卷上洗沙；猪肥膘肉煮熟，捞起晾冷，切成长约 7 厘米、宽 2 厘米、厚 0.3 厘米的片，每片裹上一个枣卷，成圆筒，立放于蒸碗中。糯米经淘洗浸泡后，上笼蒸粑，取出加红糖、猪油拌匀，装入放有肉卷的蒸碗中作底，上笼蒸炬（约半小时）；炒锅内放白糖、清水少许，勾芡成水晶滋汁，取出蒸好的烧白，翻扣于圆盘中，淋上滋汁即成。

成菜特点：外形美观，甜香炬糯。

（二十五）粉蒸肉

粉蒸肉为四川省传统乡土风味名菜。是选用带皮猪五花肉，配鲜豌豆、大米粉，加辣豆瓣、酱油、醪糟汁、盐、花椒、豆腐乳汁、姜末、红糖、葱花等调料制成。含有丰富的蛋白质、脂肪、碳水化合物，维生素 B_1、B_2、尼克酸，钙、磷、铁等营养素。发挥动植物蛋白质互补作用，提高菜肴蛋白质生理价值。

烹调类型：经蒸烹制而成的家常味型热菜。

主料：猪肉 500 克。

配料：鲜豌豆 50 克，大米粉 75 克。

调料：辣豆瓣 15 克，酱油 15 克，醪糟汁 15 克，盐 2 克，花椒 2 克，豆腐乳汁 15 克，姜 10 克，红糖 20 克，葱 10 克，冷汤 25 克。

制作要领：肉片拌味时，冬季味稍浓，夏季宜淡；拌肉时，米粉宜适量，为免过干，可加适量鲜汤；装碗时，肉皮向下靠碗底摆放。

制作工艺：大米和花椒放入锅中，微火干炒至熟，磨成粗粉；猪肉刮洗干净，切成长约 10 厘米、宽 4 厘米、厚 0.4 厘米的片，入盆内，加盐、酱油、红糖汁、醪糟汁、辣豆瓣、姜末、豆腐乳汁拌和均匀，再加米粉拌匀，稍置腌渍后，将肉片摆入蒸碗内成“一封书”形。豌豆洗净入盆，加盐、米粉、冷汤拌匀，装于肉上。然后上笼用旺火蒸炬（约两小时），取出翻扣于盘内，撒上葱花即成。

成菜特点：色泽红亮，咸鲜微辣，软糯适口。

（二十六）夹沙肉

夹沙肉为四川省传统乡土风味名菜。是选用猪肥膘肉，配洗沙、糯米、玫瑰、红糖、白糖、猪油等料制成。含有丰富的蛋白质、饱和脂肪酸，维生素 B_1、B_2、尼克酸，钙、磷、铁等营养素。且具有动植物蛋白质的互补作用。

烹调类型：经煮、蒸烹制而成的甜香味型热菜。

主料：猪肥膘肉 500 克。

配料：洗沙 75 克，玫瑰 25 克，糯米 100 克。

调料：红糖 50 克，猪油 50 克，白糖 25 克。

制作要领：肉片要整齐，厚薄均匀；装碗时肉片一面向碗底；上笼用旺火蒸至炽软。

制作工艺：猪肉刮洗干净，入锅煮至刚熟捞出晾冷，用刀切成长约 8 厘米、宽 45 厘米、厚 0.7 厘米的片（16 片），再将肉片逢中片一刀，使成皮相连的两张薄片。锅内放红糖炒化，加洗沙、猪油炒匀，加玫瑰捣匀。然后将馅塞于肉片夹层中，压成扁形，逐片摆于蒸碗中成圆形。糯米淘洗后用清水浸泡半小时，用净布包好，上笼蒸 20 分钟，取出用清水浸一次，再入笼蒸至炽软，取出加红糖，猪油拌匀，放于摆好肉片的蒸碗中，上笼蒸炽（约 2 小时），取出扣于盘中，撒上白糖即成。

成菜特点：甜香炽糯，腴而不腻。

（二十七）糖粘羊尾

糖粘羊尾为四川省筵席名菜。是选用猪肥膘肉，配鸡蛋、豆粉、白糖制成。含有丰富的蛋白质、饱和脂肪酸、碳水化合物，维生素 B_1、B_2、尼克酸，钙、磷、铁等营养素。

烹调类型：经炸、粘糖烹制而成的甜香味型凉菜。

主料：猪肥膘肉 400 克。

配料：鸡蛋 50 克，豆粉 25 克。

调料：菜油 500 克，白糖 100 克。

制作要领：肥膘肉煮至熟透，切条后要用沸水冲洗，并用热毛巾搌干，以便于挂糊；炒糖液的锅不能沾油，炒时用小火，粘糖要均匀，并可粘上熟芝麻末。

制作工艺：猪肥膘肉刮洗干净，入沸水锅内煮熟，捞出去肉皮，晾冷切成长约 4 厘米、宽厚各 1 厘米的条，用沸水冲洗去油腻，用热毛巾搌干水分。鸡蛋打散与干豆粉调成蛋糊，将肉条放入蛋糊碗内拌匀。炒锅置旺火上，下菜油烧至 120℃，将肉条逐一放入锅中炸定型捞出，待油温升至约 150℃时，再将肉条放入炸至外酥色金黄时捞出，滗去炸油。洗净锅，置火上，加清水，白糖，熬至糖液起大泡时，将锅端离火口，放入炸好的肉条，用小铲不断翻炒，使均匀粘上糖液，起锅装盘晾冷即成。

成菜特点：色泽金黄，外酥内嫩，肥而不腻。

（二十八）原笼玉簪

原笼玉簪为四川省创新乡土风味名菜。是选用猪正肋骨、大米、红苕、配芹菜、醪糟汁、红糖汁、豆腐乳汁、豆瓣、酱油、姜、葱、花椒等制成。含有丰富的蛋白质、脂肪、碳水化合物，B 族维生素和钙、磷、铁等营养素。

烹调类型：经蒸烹制而成的咸鲜味型热菜。

主料：猪正肋骨 750 克，大米 100 克，红苕 150 克。

配料：芹菜 50 克。

调料：姜 15 克，葱 15 克，花椒 2 克，酱油 20 克，豆腐乳汁 10 克，红糖汁 20 克，豆瓣 10 克，醪糟汁 15 克，盐 2 克。

制作要领：排骨要选用签子排骨，两端要修整齐露出骨头；大米要磨粗粉；蒸时火候要够。

制作工艺：大米入锅干炒至呈微黄色，铲出磨成粗粉备用；猪排骨洗净后，从肉缝处划开，斩成约 7 厘米长的段，并将两端的肉修去一部分，使骨头整齐地露出；姜洗净去皮拍松，与葱、花椒同用刀铡成细末。修整好的排骨装盆中；将酱油、豆腐乳汁、红糖汁、豆瓣、醪糟汁、川盐、姜葱、花椒末等料放于碗中调匀后，倒于排骨盆中和匀，再放入米粉拌匀；红苕去皮洗净后，切成不规则的块，放小竹蒸笼中，再将拌匀的排骨整齐地码在红苕上，盖好笼盖，上笼锅蒸至排骨肉烂，取出揭去笼盖，放上几片洗净的芹菜嫩叶即成。

成菜特点：形如玉簪，肉质烂软，口味浓香，乡土气息浓郁。

（二十九）冰糖藕丸

冰糖藕丸为四川省名菜。是选用鲜藕、猪肉，加白糖、果脯等制成。含有较丰富的碳水化合物、脂肪、蛋白质和 B 族维生素。

烹调类型：经蒸烹制而成的甜香味型热菜。

主料：鲜藕 350 克，猪肉 100 克。

配料：果脯 50 克，桂花 25 克，鸡蛋 50 克，阴米 50 克。

调料：冰糖 150 克，白糖 50 克。

制作要领：丸子大小要均匀，蒸制时用旺火。

制作工艺：选粗壮鲜嫩藕去皮，去节，洗净，磨茸，挤去水汁后，加入剁茸的肥瘦猪肉和切成小颗粒的果脯、桂花、冰糖，用调散的鸡蛋拌和均匀，然后捏成圆丸，在圆丸上滚沾上经泡胀后沥干的阴米，最后将丸子上笼用旺火蒸熟，入碗撒上白糖即成。

成菜特点：色白香甜，细嫩爽口，宜热吃。

（三十）豆渣猪头

豆渣猪头为四川省筵席名菜。是选用猪头肉，配豆渣，加草果、八角、胡椒、花椒、姜葱、醪糟、冰糖汁、酱油、料酒等制成。含较高的蛋白质、脂肪、碳水化合物，维生素 B_1、B_2、尼克酸及钙、磷、铁等营养素。

烹调类型：经烧烹制而成的咸鲜味型热菜。

主料：猪头肉 750 克。

配料：豆渣 200 克。

调料：姜、葱各 20 克，花椒 3 克，胡椒 2 克，八角 5 克，草果 3 克，料酒 25 克，醪糟 15 克，冰糖汁 25 克，盐 3 克，酱油 20 克，猪油 50 克，味精 1 克，清汤 500 克。

制作要领：宜选用猪脑顶肉；炒豆渣时，火不要大，同时不断用铲刮锅心，以免炒糊；可先将烧肉的原汁熬酽，再下豆渣拌匀。

制作工艺：猪头洗净，去尽毛、骨渣，入清水锅用旺火煮五分钟捞出，用清水冲洗后，改大菱形块。姜、葱拍松，用干净纱布将姜葱、花椒、胡椒、八角、草果包好。在大口砂锅中，放清汤，加料酒、醪糟、冰糖汁、盐、酱油，和香料包，再放入猪头骨，猪头骨上放改好的猪头肉，用旺火烧开，然后将锅口用草纸封严烧约4小时。磨细的豆渣，上笼蒸10分钟取出晾冷，用净布包起，挤去水分。锅置火上，下猪油烧热，放入豆渣用微火炒至豆渣酥香起锅。揭去砂锅封口草纸，捞猪头肉装盘，将烧肉原汁滗入炒锅中，放入炒好的豆渣和味精，拌匀淋于猪头肉上即成。

成菜特点：色泽棕红，汁浓味醇，肉质糍糯，豆渣酥香。

（三十一）网油腰卷

网油腰卷为四川省传统筵席名菜。是选用鲜猪腰，配猪网油、肥猪肉、水发兰片、生菜，加料酒、精盐、胡椒粉、豆粉、鸡蛋等多种调辅料制成。含较高的蛋白质、脂肪、胆固醇，维生素B_1、B_2、C、尼克酸，以及钙、磷、铁、钾等营养素。

烹调类型：经炸烹制而成的咸鲜味型热菜。

主料：猪腰250克。

配料：猪网油200克，猪肥肉100克，水发兰片100克，生菜100克。

调料：盐2克，料酒10克，蛋清豆粉40克，素油300克，香油25克，干豆粉15克，胡椒粉2克，糖10克，醋5克，椒盐10克。

制作要领：网油水分要晾干；卷条要粗细均匀。

制作工艺：猪腰去膜，片成两片，去尽腰臊，洗净，与猪肉、兰片分别切成细丝，入碗加盐、料酒、胡椒粉、蛋清豆粉拌匀成馅；猪网油洗净晾干，平铺于案上，修成长方形（长约20厘米，宽约10厘米），抹一层蛋清豆粉，将馅放于网油一边，呈一字形，两头包起，裹成卷条（直径约 2 厘米），并用竹签或刀尖在卷上扎些小孔，粘上干豆粉。锅置旺火上，下素油烧热（约 150℃），下卷炸至外酥内熟、呈金黄色时捞出，抹上香油，斜刀切成长约 3 厘米的段，叠摆于盘的一端，另一端配糖醋生菜，并椒盐碟上桌。

成菜特点：色泽金黄，皮酥内嫩，配蘸椒盐和生菜，麻香可口。

（三十二）炸花仁腰块

炸花仁腰块为四川省名菜。是选用猪腰，配花生仁、鸡蛋、生菜，加盐、料酒、醋、白糖、胡椒粉等调料制成。含丰富的蛋白质、脂肪、胆固醇，维生素 B_1、B_2、C、尼克酸，以及钙、磷、铁等营养素。

烹调类型：经炸烹制而成的咸鲜味型热菜。

主料：猪腰 400 克。

配料：花生仁 100 克，生菜 50 克。

调料：葱 10 克，姜 10 克，盐 2 克，料酒 10 克，胡椒粉 2 克，味精 1 克，素油 500 克，香油 15 克，糖 10 克，白醋 5 克，椒盐 10 克，蛋清 50 克，豆粉 25 克。

制作要领：腰块上浆不要过稀；入锅炸时，可分两次进行，即先炸定型后捞起，待油温升高后，再入锅炸至花仁酥香起锅。

制作工艺：猪腰去膜，平片成两片，去尽腰臊，洗净，用直刀剞交叉十字花纹后，改成约 2.5 厘米见方的块；花仁用开水浸泡，去掉皮衣，剁成细粒；葱切短节，姜切片；生菜切成细丝，加白糖、白醋腌渍；蛋清加干豆粉调成稀糊。将腰块用盐、料酒、胡椒粉、味精、姜片、葱节拌匀，腌渍入味；去掉姜、葱，加蛋清豆粉上浆。炒锅置旺火上，下素油烧热（约150℃），将上好浆的腰块，沾上花仁粒入锅，炸至熟透呈黄色起锅，淋上香油，盛于盘的一端，另一端将用糖醋拌匀的生菜摆上，并配椒盐碟上桌。

成菜特点：色形美观，质鲜嫩脆，花仁酥香，别具风味。

（三十三）火爆荔枝腰

火爆荔枝腰为四川省家常风味名菜。是选用猪腰，配水发木耳、冬笋、泡辣椒、豌豆苗，加盐、酱油、胡椒粉、料酒、醋、白糖、水豆粉、葱、姜、蒜等调料制成。含有较高的蛋白质、脂肪、维生素 B_1、B_2、C、尼克酸，以及钙、磷、铁等营养素。

烹调类型：经爆炒烹制而成的荔枝味型热菜。

主料：猪腰400克。

配料：水发木耳30克，冬笋50克，泡辣椒15克，豌豆苗50克。

调料：盐3克，料酒20克，豆粉30克，姜蒜各10克，葱15克，酱油10克，胡椒粉2克，醋15克，糖30克，味精1克，鲜汤50克，猪化油50克。

制作要领：剞花深度约为腰片的四分之三，腰块在下锅前才下盐和水豆粉上浆，上浆用薄芡；旺火滚油，油温要高；爆炒时动作要快。

制作工艺：猪腰撕去膜，平片成两片，去尽腰臊洗净，先用斜刀，后用直刀交叉剞成十字花纹，然后改成2.5厘米见方的块，入碗加盐、料酒、水豆粉拌匀；木耳洗净，冬笋切薄片，泡辣椒去籽，切斜刀块；姜、蒜切片，葱切马耳朵形；盐、酱油、胡椒粉、料酒、醋、白糖、味精、水豆粉、鲜汤入碗兑成芡汁。炒锅置旺火上，下猪化油烧热（约220℃），下腰花爆炒推散，将配料一齐放入炒匀，烹入芡汁，推匀起锅装盘即成。

成菜特点：形如荔枝，脆嫩鲜香，味美爽口。

（三十四）火爆肚头

火爆肚头为四川省筵席名菜。是选用猪肚头，配水发兰片、水发香菌，加泡辣椒、姜、蒜、葱、盐、料酒等多种调料制成。含有较高的蛋白质、脂肪、维生素 B_1、B_2、尼克酸，钙、磷、铁、钾等营养素。

烹调类型：经爆烹制而成的咸鲜味型热菜。

主料：猪肚头400克。

配料：水发兰片50克，水发香菌30克。

调料：猪化油50克，精盐3克，料酒15克，豆粉30克，姜10克，蒜10克，葱15克，泡辣椒10克，胡椒粉2克，味精1克，鲜汤35克。

制作要领：剞刀的深度达到原料的2/3为宜，旺火滚油，即时码味，即时下锅；上浆宜轻浆薄芡；爆炒时动作要快。

制作工艺：肚头洗净去尽油筋，剞十字花刀，切成边长约2厘米的菱形块；兰片、香菌片成片；精盐、味精、胡椒粉、水豆粉、鲜汤兑成芡汁。炒锅置旺火上，下猪化油烧热（约200℃），肚头加精盐、料酒、豆粉拌匀后，入锅爆炒，散籽翻花后，迅即下兰片、香菌、姜、葱、蒜、泡辣椒炒匀，烹入芡汁，颠匀起锅装盘即成。

成菜特点：色形美观，紧汁亮油，质地脆嫩，咸鲜微辣。

（三十五）炸班指

炸班指为四川省名菜。是选用猪肥肠头，配生菜，加酱油、盐、白糖、葱、姜、蒜、醋、料酒等调料制成。含较高的蛋白质、胆固醇、饱和脂肪酸，B族和C族维生素，钙、磷、铁等营养素。

烹调类型：经蒸、炸烹制而成的糖醋味型热菜。

主料：肥肠头300克。

配料：生菜50克。

调料：盐3克，料酒20克，花椒2克，姜15克，葱20克，蒜10克，香油15克，酱油15克，醋25克，白糖50克，素油500克，冷汤50克。

制作要领：要选用体厚质佳的肥肠头；肠头要反复清洗，去尽腥味；入锅炸前，用竹签在肠头上扎些气孔；入锅时将其顺锅边放入，并注意两头肠口不要向着人，以免爆时烫伤。

制作工艺：肥肠头切去两端，洗净后入沸水锅中稍煮（约一刻钟），捞出切成两段，装入蒸碗中，加清水、盐、葱白、料酒、花椒、姜（拍松），上笼用旺火蒸烂，取出，沥干水分。葱、姜、蒜分别切细末，和香油、料酒、冷汤、水豆粉、白糖、醋、酱油入碗，调匀成糖醋汁。锅置火上，下素油烧热，将蒸好的肥肠头放入，炸呈金黄色时，捞出切成长约1.5厘米的短节，淋上香油，装于盘中，另配糖醋生菜。糖醋汁入锅煎热，装于汤杯中同上。

成菜特点：色泽金黄，皮酥肉烂，鲜香味美。因其形似旧时射箭者带在手指上的“班指”而得名。

（三十六）酸辣臊子蹄筋

酸辣臊子蹄筋为四川省家常风味名菜。是选用猪蹄筋，配鲜猪瘦肉，加盐、料酒、酱油、味精、醋、水豆粉、姜、葱、胡椒粉等调料制成。含较高的蛋白质、饱和脂肪酸，维生素 B_1、B_2、尼克酸，钙、磷、铁等营养素。

烹调类型：经烩烹制而成的酸辣味型热菜。

主料：发好的猪蹄筋 300 克。

配料：猪肉 50 克。

调料：葱 10 克，姜 10 克，猪化油 50 克，酱油 20 克，料酒 10 克，胡椒粉 3 克，醋 30 克，香油 10 克，水豆粉 15 克，好汤 500 克。

制作要领：用好汤烩入味，胡椒粉、醋稍重，芡汁适量。此菜若用鲜蹄筋，则要先将蹄筋用开水煮透，再入汤锅煮炬。

制作工艺：猪蹄筋油发后去尽油质，改成长约 3 厘米的节，用鲜汤喂氽一次。猪瘦肉剁成细粒，葱切花，姜切细末。炒锅置火上，下猪化油烧热，下猪肉煵酥，加酱油、姜、料酒稍炒，放入盐、胡椒粉、酱油，加好汤，下蹄筋烩入味后，用水豆粉勾二流芡，下醋、葱花、香油推匀，起锅装碗即成。

成菜特点：质地炬糯，酸辣而香。

（三十七）菠饺银肺

菠饺银肺为四川省名菜。是选用猪肺、猪肉、面粉、菠菜，配熟火腿、熟鸡片、水发口蘑，加盐、料酒、姜、酱油、葱白、胡椒粉、香油、味精等多种调料制成。含有较高的蛋白质、脂肪、碳水化合物，维生素 B_1、B_2、C、尼克酸，以及钙、磷、铁等营养素。

烹调类型：经煮、烩烹制而成的咸鲜味型热菜。

主料：猪肺500克，猪肉100克，面粉200克，菠菜50克。

配料：熟火腿50克，熟鸡皮25克，口蘑25克。

调料：盐4克，猪化油50克，姜10克，葱白15克，料酒10克，汤500克，胡椒面2克，香油10克，鸡油10克，味精1克。

制作要领：猪肺要选白净无洞的，灌洗到肺叶全部变白为宜；菠菜去茎留叶，用其菜汁和面，汁不够可略加清水。

制作工艺：猪肺用清水反复灌洗，去尽血污，沥干水，入沸水锅中煮熟，捞出晾冷，改成长约4厘米、宽3厘米、厚0.2厘米的片；火腿、鸡皮分别切成长约4厘米、宽2.5厘米的片；菠菜洗净，挤出菜汁，和面粉揉匀后，擀成面皮；猪肉去筋，剁茸，加盐、香油、冷汤制成馅，取皮包馅，做成饺子（共24个）。饺子入沸水锅中煮熟捞出。炒锅置旺火上，下猪化油烧热，下姜片、葱白节、料酒、好汤，烧沸后捞出姜、葱，放盐、胡椒面、口蘑、火腿、鸡皮、肺片，待入味后，下饺子稍烩，加味精，淋入鸡油，起锅装盘即成。

成菜特点：饺子碧绿，肺片银白，质地细嫩，咸鲜味美。

（三十八）生烧筋尾舌

生烧筋尾舌为四川省名菜。是选用猪尾、猪舌、猪蹄筋，配菜心，加姜、葱、料酒、冰糖、酱油、盐、好汤等调料制成。含有较高的蛋白质、脂肪，维生素B_1、B_2、C、尼克酸，以及钙、磷、铁等营养素，且富含胶质蛋白质。

烹调类型：经煨烹制而成的咸鲜味型热菜。

主料：猪舌 100 克，猪尾 100 克，猪蹄筋 100 克。

配料：菜心 50 克。

调料：猪化油 50 克，姜 10 克，葱 10 克，料酒 10 克，冰糖 15 克，酱油 10 克，盐 2 克，好汤 300 克。

制作要领：猪舌根切除不用，去尽蹄筋上的瘦肉；小火慢烧至炽，汤汁收浓。

制作工艺：猪尾刮洗净，切成长约 3 厘米的段，猪舌入沸水锅中煮 10 分钟，捞出冲凉，刮去舌上粗皮，改成长约 5 厘米、宽 2 厘米、厚约 0.5 厘米的片；蹄筋洗净，切成长约 5 厘米的段。姜拍松，葱挽结。炒锅置旺火上，下猪化油烧热，放入舌、尾、蹄筋、姜、葱稍炒，待水气稍干，加料酒、冰糖、酱油、盐、好汤烧沸，撇去浮沫，倒入罐内用微火煨炽。菜心氽熟，垫于盘底（或镶于盘边），拣去罐内葱、姜，舀起装于盘中即成。

成菜特点：色泽金黄，软糯鲜美，味浓可口。

（三十九）竹荪肝膏汤

竹荪肝膏汤为四川省传统名菜。是选用鲜猪肝，配竹荪、蛋清，加盐、胡椒粉、料酒、水豆粉、葱、姜等调料制成。含有较高蛋白质、脂肪，维生素 A、B_1、尼克酸，钙、磷、铁、钾等。

烹调类型：经清蒸烹制而成的咸鲜味型汤菜。

主料：鲜猪肝 500 克。

配料：竹荪 50 克，蛋清 50 克。

调料：老姜 15 克，葱 15 克，水豆粉 20 克，胡椒粉 3 克，盐 3 克，味精 2 克，料酒 10 克，汤 750 克。

制作要领：猪肝捶茸时用力要匀，轻重适度；肝茸加清汤等调匀后，其浓度应为稠酽的米汤；肝汁入蒸碗前，可在碗内抹少许猪油，以防其粘锅，蒸时切忌大火和久蒸，否则影响其形美观。

制作工艺：老姜、葱拍松泡水浸汁；竹荪用温水浸泡洗净，改成长约 2 厘米的段，在普汤中氽两次，然后用清汤喂起。猪肝去筋及表层，用刀背捶成茸泥状，入碗加冷清汤调匀，滤去肝渣，兑入姜、葱汁，加鸡蛋清、水豆粉、搅匀后，再加入胡椒粉、盐、味精调匀，上笼用小火蒸成肝膏（约 10～15 分钟），特制清汤烧沸，加盐、胡椒粉、料酒、味精，下竹荪烧开入味，盛入汤碗，取蒸好的肝膏，用刀划成菱形块，轻轻滑入汤碗中即成。

成菜特点：色调淡雅，汤清味鲜，质极细嫩。

（四十）水煮牛肉

水煮牛肉为四川省传统风味名菜。是选用黄牛肉，配莴笋尖、蒜苗、加干辣椒、酱油、郫县豆瓣、醪糟汁、盐、花椒等调料制成。含有丰富的蛋白质、脂肪，维生素 B_1、B_2、尼克酸，以及钙、磷、铁等营养素。

烹调类型：经煮烹制而成的麻辣味型热菜。

主料：牛肉 500 克。

配料：莴笋尖 100 克，蒜苗 50 克。

调料：干辣椒 15 克，酱油 10 克，郫县豆瓣 20 克，醪糟汁 10 克，盐 2 克，花椒 3 克，素油 75 克，料酒 10 克，豆粉 15 克，鲜汤 50 克。

制作要领：牛肉切时按横筋切片，肉片入锅后，不要马上搅动，以免脱浆；淋入菜肴上的油要烧至七成热，才烫得出香味。

制作工艺：牛肉切成长约5厘米、宽3厘米、厚0.3厘米的片，加盐、水豆粉、醪糟汁拌匀；莴笋尖切成约长6厘米的薄片；蒜苗切成长约4.5厘米的节，郫县豆瓣剁细。炒锅置旺火上，下油烧热，放辣椒煸至呈深红色取出，剁细；锅内下豆瓣煵出色，下剁细的辣椒和莴笋尖炒几下，掺鲜汤，加料酒、酱油和蒜苗，煮至蒜苗断生，拣出莴笋尖和蒜苗盛于窝盘内；肉片抖散入锅，待沸时拨散，煮熟后起锅，舀盖在盘中菜上，撒上辣椒末、花椒面，再浇上沸油即成。

成菜特点：色红味厚，麻、辣、鲜、嫩、烫。

（四十一）陈皮牛肉

陈皮牛肉为四川省筵席名菜。是选用净瘦黄牛肉，加干辣椒、花椒、陈皮、白糖、料酒、姜、葱、盐等调料制成。含有丰富的蛋白质、脂肪，B族维生素，钙、磷、铁等营养素。

烹调类型：经炸收烹制而成的陈皮味型冷菜。

主料：牛肉750克。

调料：陈皮25克，干辣椒10克，花椒2克，葱10克，姜10克，白糖20克，盐3克，料酒10克，素油750克，醪糟汁10克，味精1克，鲜汤100克，香油10克。

制作要领：牛肉宜横筋切片，码味的咸度要适当；炸时油温不要太高，可采用炸两次的方法，即第一次炸去过多的水分，第二次炸至呈棕红色。炸时可先将牛肉用少许熟的冷菜油拌匀。陈皮应改成2厘米大小的片，并用水稍泡，泡陈皮的水，可在收味时倒入锅中。辣椒和花椒不能炸糊。

制作工艺：牛肉去筋膜，切成长约6厘米、宽4厘米、厚0.3厘米的片，入碗加精盐、料酒、姜（拍松）、葱节拌匀，腌渍码味。锅置旺火上，下油烧热，拣去牛肉中的葱、姜，入锅炸至呈棕红色时捞出，另取锅，下油（约100克）烧热，下干辣椒、花椒炸至棕红色，下陈皮炒出香味，加鲜汤，下炸过的牛肉，加精盐、白糖，稍收汁后，加入醪糟汁、味精，待收汁亮油后下香油，炒匀起锅，晾至冷透装盘即成。

成菜特点：色泽红亮，味浓鲜香，酥软化渣，麻辣回甜，带陈皮芳香。

（四十二）干煸牛肉丝

干煸牛肉丝为四川省家常风味名菜。是选用鲜嫩牛肉，配芹菜心、青蒜苗，加精盐、酱油、料酒、味精、白糖、郫县豆瓣、辣椒面、花椒面、姜、蒜等调料制成。含较高的蛋白质、脂肪，B族维生素，以及钙、磷、铁等营养素。

烹调类型：经干煸烹制而成的麻辣味型热菜。

主料：牛肉500克。

配料：芹菜心50克，蒜苗25克。

调料：素油75克，郫县豆瓣20克，姜10克，蒜10克，辣椒面5克，料酒10克，盐2克，白糖20克，酱油15克，醋5克，花椒面2克。

制作要领：牛肉切丝粗细要均匀，煸炒时用中火，火候要掌握好。

制作工艺：牛肉去筋膜，洗净，横切成长约6厘米的二粗丝；芹菜心切成长约4厘米的节，青蒜苗破开切成长约4厘米的节；郫县豆瓣剁细。锅置旺火上，下素油烧热（约180℃），放入牛肉丝反复煸炒至水分将干时，下豆瓣炒至油变红色，加姜、蒜丝炒匀，再下辣椒面炒匀，加入料酒、盐、白糖、酱油和芹菜、蒜苗同炒，至蒜苗断生，烹入少许醋，迅速炒几下起锅，装盘并撒上花椒面即成。

成菜特点：色润棕红，质酥软化渣，香辣不燥，回味醇厚。

（四十三）红烧牛肉

红烧牛肉为四川省家常风味名菜。是选用鲜黄牛肉，配白萝卜、香菜，加草果、八角、花椒、姜、葱、精盐、郫县豆瓣、糖色、料酒等调辅料制成。含丰富的蛋白质、脂肪、碳水化合物，B族维生素，钙、磷、铁等营养素。

烹调类型：经烧烹制而成的家常味型热菜。

主料：牛肉500克。

配料：白萝卜100克，香菜15克。

调料：草果3克，八角2克，花椒2克，葱15克，姜10克，郫县豆瓣20克，菜油75克，鲜汤500克，精盐3克，料酒10克，糖色10克。

制作要领：牛肉要入锅氽后再切块，以保证块形整齐；萝卜烧前应先氽过；烧时要小火慢烧，使之粑软入味。

制作工艺：将草果、八角、花椒、葱（挽结）、姜（拍松）用干净纱布包扎好成香料袋。黄牛肉洗净后入汤锅氽去血水，捞出冲洗净切成约3.5厘米见方的块；萝卜去皮切成约2.5厘米见方的块，香菜洗净，切成2厘米长的节，郫县豆瓣剁细。炒锅置旺火上，下菜油烧热（约180℃），放豆瓣煵出香味，加鲜汤烧沸出味，捞去豆瓣渣，将红汤倒入烧锅，下牛肉烧沸，撇去浮沫，加精盐、料酒、糖色、香料袋移至小火烧至刚熟时，将萝卜在沸水锅中稍氽后入锅同烧至软熟，移旺火上将汤汁烧稠起锅装盘，撒上香菜即成。

成菜特点：色泽红亮，牛肉炽软，味浓鲜香。

（四十四）原笼牛肉

原笼牛肉又叫“小笼粉蒸牛肉”，为四川省传统风味名菜。是选用鲜黄牛瘦肉，配熟二米粉（大米、糯米），加酱油、醪糟汁、郫县豆瓣、姜、蒜、生菜油、辣椒粉、花椒粉、香菜等调辅料制成。含丰富的蛋白质、脂肪、碳水化合物，B族维生素，钙、磷、铁等营养素。

烹调类型：经蒸烹制而成的家常味型热菜。

主料：牛肉500克。

配料：大米50克，糯米50克。

调料：酱油15克，豆瓣20克，姜米10克，生菜油100克，醪糟汁10克，辣椒粉5克，花椒粉3克，蒜泥10克，葱花15克，香菜15克。

制作要领：牛肉要横着肉纹切片；米粉宜稍粗；上笼用旺火蒸至炽软为度。

制作工艺：牛肉去尽筋膜，横切成长约5厘米、宽3厘米、厚0.3厘米的片，入盆与剁细的豆瓣、姜末、酱油、生菜油、醪糟汁、二米粉（大米、糯米磨成的粗粉）拌匀，腌渍约20分钟；小竹笼洗净擦干，抹上一层油，将牛肉片整齐地铺在笼内加盖，入沸水锅中，用旺火蒸炽（约50分钟），取下小笼放盘中，在牛肉上加辣椒粉、花椒粉、蒜泥、葱花、香菜拌匀即成。

成菜特点：牛肉细嫩炬软，味道浓郁香醇，风味独具。

（四十五）五香牛肉

五香牛肉为四川省名菜。是选用黄牛肉，加丁香、桂皮、砂仁、八角、草果、冰糖、酱油、干辣椒、麻油等调料制成。含丰富的蛋白质、脂肪，B族维生素，钙、磷、铁等营养素。

烹调类型：经烤、卤烹制而成的五香味型冷菜。

主料：黄牛肉750克。

调料：醪糟汁20克，丁香2克，桂皮2克，白芷2克，砂仁2克，甘草1克，三萘2克，草果2克，八角2克，花椒3克，冰糖15克，白糖20克，酱油15克，干辣椒15克，麻油25克。

制作要领：牛肉要先烤后卤，卤时要用微火，才使牛肉入味。

制作工艺：将黄牛后腿肉洗净，在清水中漂半小时，取出用干净布揩干水分。把醪糟汁擦在牛肉上，挂入烤炉内反复翻转，均匀烤熟后，取出放入烧开的卤汤（用丁香、桂皮、白芷、砂仁、甘草、三萘、草果、八角、花椒等香料装包。锅内放清水，加冰糖烧开化散，再加水、白糖、酱油、干辣椒和香料包，用微火熬至五香味浓时即成。）锅中，微火煮到熟而不烂时，捞出晾冷，刷上麻油。吃时切成片，撒上花椒面即成。

成菜特点：色红亮，五香味浓。

（四十六）阆中熏牛肉

阆中熏牛肉为四川省名菜。是选用黄牛肉，加花椒面、干辣椒、生姜、醪糟汁、白糖、葱、盐、酱油、香油、熟芝麻等调料制成。含有丰富的蛋白质、脂肪，维生素 B_1、B_2、尼克酸，钙、磷、铁、钾等营养素。

烹调类型：经蒸炸、收熏烹制而成的麻辣味型菜肴。

主料：黄牛肉500克。

调料：花椒面2克，干辣椒10克，菜油500克，姜10克，葱15克，盐2克，酱油15克，醪糟汁15克，白糖20克，鸡汤100克，香油10克，熟芝麻5克。

制作要领：牛肉要入味，蒸制软烂时再熏制。

制作工艺：黄牛肉去筋膜，切成大小一致，厚薄均匀的条片，加入花椒面、干辣椒、生姜、葱、酱油、醪糟汁、白糖等腌制40～60分钟，带调料入笼，用旺火蒸30分钟取出，拣除辅料入油锅中炸15分钟，然后入锅加鸡汤和蒸牛肉的原汁，收干水分后，再用柏树枝烟熏5分钟取出，淋上香油，撒上熟芝麻即成。

成菜特点：色泽褐红，鲜香味长。

（四十七）凉拌牛肉

凉拌牛肉为四川省名菜。是选用优质牛肉，配鲜菜（绿豆芽、椿芽、芹菜等均可），加永川豆豉、辣椒面、酱油、芝麻油、蒜泥、花椒面、醋等调料制成。含丰富蛋白质、脂肪，维生素B、C族，钙、磷、铁等营养物质。

烹调类型：经煮、拌烹制而成的麻辣味型冷菜。

主料：牛肉500克。

配料：鲜菜100克，瘦牛肉50克。

调料：菜油100克，永川豆豉15克，辣椒面10克，酱油 15 克，芝麻油 10 克，蒜泥 10 克，花椒面 3 克，醋 10 克。

制作要领：重在调味，突出麻、辣、香、鲜。

制作工艺：牛肉洗净入锅煮至七成熟，捞起晾冷，切成薄片。鲜菜洗净切成节，沸水氽过放入盘中垫底，再放上切好的牛肉片待用。取菜油入锅烧热，放入永川豆豉炸酥，瘦牛肉切成细粒后炸酥，再放入辣椒面混合调匀，制成红油辣椒备用。将酱油、芝麻油、蒜泥、花椒面、红油辣椒、醋等调料拌匀，淋在牛肉上即成。

成菜特点：色泽红亮，麻辣鲜香。

（四十八）烧牛头方

烧牛头方为四川省筵席名菜。是选用水牛脑顶肉皮，配鲜菜心、火腿，加精盐、鸡汤、料酒、胡椒粉、葱、姜、糖色、鸡油、猪油等调料制成。含有较多的胶质蛋白质、脂肪、维生素 B_1、B_2、C、尼克酸、钙、磷、铁等营养素。

烹调类型：经煮、蒸、烧烹制而成的咸鲜味型热菜。

主料：牛头皮 500 克。

配料：鲜菜心 50 克，火腿 25 克。

调料：姜 15 克，葱 20 克，料酒 10 克，猪油 50 克，鸡汤 250 克，精盐 2 克，鸡油 10 克，糖色 10 克，麻油 5 克。

制作要领：牛头皮须烧尽毛根，去尽粗皮；刮洗去骨时，注意不要把皮弄破；牛头皮肉厚薄要一致；入沸水中氽后用凉水冲洗，再换水氽，以去掉臊味和部分胶质；烹至𤆵软。

制作工艺：牛头皮在火上烧去毛，刮去焦皮，洗净，入锅中加清水淹没，用小火煮至能去骨时，捞出放入凉水中，去骨并修去粗皮，然后切成长约 6 厘米、宽约 3 厘米的条，再入开水锅中氽两次，捞起放碗中，加姜（拍松）、葱（切段）、料酒、火腿片，上笼蒸熟取出，拣去姜、火腿、葱。锅置火上，下猪油烧热，放姜、葱稍爆后，随即加鸡汤、牛头肉皮、精盐、鸡油、糖色，烧沸后去尽浮沫，移微火上烧至粑软，拣去葱、姜，移至旺火上收浓汤汁，淋上麻油，盛于盘内。鲜菜心用猪油炒断生，镶于盘的四周即成。

成菜特点：色泽红亮，质糯滑润，汁浓醇香，鲜美可口。

（四十九）爆牛肚梁

爆牛肚梁为四川省名菜。是选用鲜牛肚梁，配冬笋、水发木耳，加泡红辣椒、葱、姜、川盐、料酒，胡椒粉、水豆粉等调料制成。含有较高的蛋白质、胆固醇、碳水化合物，维生素B族和钙、磷、铁等营养素。

烹调类型：经爆烹制而成的咸鲜味型热菜。

主料：牛肚梁500克。

配料：冬笋50克，水发木耳25克。

调料：泡红辣椒15克，葱15克，姜10克，川盐3克，料酒15克，胡椒粉2克，水豆粉35克，素油75克，鲜汤50克。

制作要领：牛肚梁厚薄要均匀，上浆芡勿多，上浆后即下锅，爆时油温要高，动作要快。

制作工艺：牛肚梁去油筋刮洗干净，搌干水，横切成长约4厘米、宽2.5厘米、厚0.3厘米的片，入碗加川盐、料酒、水豆粉、胡椒粉拌匀；冬笋切成长约4厘米的薄片，泡辣椒、葱切成马耳朵形；用小碗将盐、水豆粉、鲜汤兑成芡汁。炒锅置旺火上，下素油烧热（约200℃），放入牛肚梁爆散，迅速下泡辣椒、姜末、冬笋、木耳、葱炒匀，烹入芡汁，翻簸起锅装盘即成。

成菜特点：质地脆嫩，咸鲜味浓。

（五十）干烧牛筋

干烧牛筋为四川省名菜。是选用水发牛蹄筋，配母鸡肉、猪五花肉、猪瘦肉、鲜菜心、冬菜，加葱白、姜、川盐、泡红辣椒、糖色、料酒等调料制成。含丰富的蛋白质、脂肪，维生素 B_1、B_2、C、尼克酸，钙、磷、铁等营养素。

烹调类型：经干烧烹制而成的咸鲜味型热菜。

主料：水发蹄筋 400 克。

配料：母鸡肉 50 克，猪五花肉 50 克，猪瘦肉 25 克，冬菜 50 克，鲜菜心 50 克。

调料：泡辣椒 10 克，葱白 10 克，混合油 75 克，姜 10 克，料酒 10 克，糖色 10 克，川盐 2 克，胡椒粉 2 克，味精 1 克，肉汤 250 克。

制作要领：牛筋要发透；用小火慢烧，自然收汁。

制作工艺：水发蹄筋冲洗后，去掉油皮及杂质，改成约 5 厘米长的段，用鲜汤喂起。母鸡肉、猪五花肉切成条块；猪瘦肉剁细粒；冬菜切碎；泡辣椒、葱白切段。锅置火上，下混合油烧热，放入鸡肉和猪五花肉稍煸炒，加姜片、葱节、料酒炒匀，掺肉汤烧沸，撇去浮沫，加糖色、川盐、泡红辣椒、胡椒粉、葱白和牛筋，移小火煨至炽软入味。炒锅置中火上，下混合油烧热（约 150℃），放入剁细的猪瘦肉，煵香后下川盐、冬菜炒匀，再将煨炽的牛筋带原汤倒入（鸡肉、猪五花肉等料不用），待收至汁浓，放入味精，起锅装盘，盘底垫上余熟的菜心。

成菜特点：汁浓鲜香，软糯味醇，微带辣味。

（五十一）毛肚火锅

毛肚火锅为四川省传统风味名菜。是选用牛毛肚、牛肝、牛腰、黄牛背柳肉、牛骨髓、青蒜苗、葱白和时鲜菜等多种原料，加干辣椒、绍酒、姜米、花椒、川盐、豆豉、醪糟汁、郫县豆瓣、牛肉汤、牛化油、味精和鸡蛋清等调料制成。含丰富的蛋白质、脂肪、胆固醇，维生素A、B族和钙、磷、铁等营养素。

烹调类型：经烫、煮烹制而成的麻辣味型热菜。

主料：牛毛肚250克，牛肝100克，牛腰100克，黄牛背柳肉100克，牛脊髓100克，青蒜苗50克，葱白25克，时令鲜菜100克。

调料：干辣椒15克，绍酒20克，姜10克，花椒3克，川盐5克，豆豉20克，醪糟汁15克，郫县豆瓣20克，牛肉汤1000克，牛化油25克，味精2克，鸡蛋清50克。

制作要领：牛肚要洗净，其余各菜，可视季节选用，但要荤素齐备；调味可浓可淡，但不能失麻辣风味。

制作工艺：火锅制作可分三个步骤。一是备料。将毛肚洗净，摊于案上，将肚叶层层理伸，切去肚门的边沿，撕去油皮，分切成小片（约3厘米宽），用凉开水漂上；牛腰、牛肝、牛肉均片成大薄片；葱、蒜苗切成长形（约8厘米），时鲜菜洗净，撕成长片。二是制卤水。炒锅置旺火上，下牛油烧热（约150℃），放入豆瓣（剁细）煵酥，加姜米、干辣椒节、花椒炒香，加入牛肉汤烧沸，盛入砂锅中，置旺火上，加绍酒、豆豉（剁茸）、醪糟汁浇沸。撇去浮沫，即成卤水。三是配制味碟。在小碟内放蛋清，加味精、香油调匀，供蘸食用。食时将荤素各菜分装入盘上桌，待卤水沸后，下菜随烫随吃。

成菜特点：色泽棕红，汤鲜香浓，麻辣味厚。

（五十二）香酥羊肉

香酥羊肉为四川省名菜。是选用鲜羊腿肉，加川盐、酱油、料酒、泡红辣椒、白糖、醋、花椒、姜、蒜、蛋清、豆粉、葱等调料制成。含有较高的蛋白质、脂肪，B族维生素，钙、磷、铁等营养素。羊肉具有益气补虚功效，可治虚劳羸瘦，腰膝酸软等症。

烹调类型：经蒸、炸烹制而成的咸鲜味型热菜。

主料：羊肉400克。

调料：川盐3克，酱油10克，料酒10克，姜10克，葱15克，花椒2克，白糖15克，醋5克，蒜10克，味精1克，菜油500克，泡辣椒10克，蛋清30克，豆粉30克。

制作要领：羊肉要蒸入味；炸时可分两次进行，即先炸进皮捞起，待油温升高后再入锅炸酥捞出。配上椒盐碟佐食。

制作工艺：羊肉洗净，切成大片，入沸水锅煮去血水，捞出入盆，加姜（拍散）、葱段、盐、花椒、料酒上笼蒸烂取出。泡辣椒剁成茸；在碗内放盐、味精、白糖、醋、水豆粉、姜米、蒜末、葱花兑成芡汁。炒锅置旺火上，放菜油烧热（约180℃），将羊肉逐片裹上蛋清豆粉入锅炸至皮酥捞出，横切成厚约0.7厘米的片，盛入盘中。炒锅内留油少许（约20克），烧热（约120℃）放入泡辣椒茸炒香，烹入芡汁，收浓起锅，盛入小碗，随羊肉上桌。

成菜特点：皮脆里嫩，咸鲜适口。

（五十三）仔姜炒羊肉丝

仔姜炒羊肉丝为四川省名菜。是选用鲜羊腿肉，配嫩仔姜、青蒜苗、甜椒，加精盐、酱油、料酒、胡椒粉、味精、水豆粉等调辅料制成。含丰富的蛋白质、脂肪，B族维生素，钙、磷、铁等营养素。对虚劳羸瘦，腰膝酸软有食疗作用。

烹调类型：经炒烹制而成的咸鲜味型热菜。

主料：羊腿肉400克。

配料：嫩仔姜20克，青蒜苗25克，甜椒25克。

调料：精盐3克，胡椒粉2克，料酒20克，酱油15克，味精1克，豆粉25克，鲜汤50克，素油50克。

制作要领：甜椒煸炒时可放少许盐，羊肉丝可用蛋清豆粉上浆，以使其滑嫩。

制作工艺：羊肉洗净，去筋膜切成二粗丝，入碗加盐、胡椒粉、料酒、酱油拌匀；仔姜、甜椒切细丝；蒜苗切成长约3厘米的节；盐、酱油、料酒、味精、水豆粉入碗加冷鲜汤兑成芡汁。炒锅置火上，放入甜椒丝煸炒断生，铲起，锅洗净下素油烧热（约180℃），下羊肉炒散，放入仔姜、甜椒、蒜苗翻炒，烹入芡汁，翻簸起锅即成。

成菜特点：质鲜滑嫩，美味醇香，清爽可口。

山珍海味类菜式

（一）干烧鱼翅

干烧鱼翅为四川省名菜。是选用鱼翅、鸡、鸭、猪肉、火腿和黄秧白（或绿豆芽、红椒丝）加多种调味品烹制而成。含有极其丰富的蛋白质（胶质蛋白）、脂肪，维生素 E、B_1、B_2和尼克酸，以及钙、磷、铁等营养素。

烹调类型：经煨、干烧烹制而成的咸鲜味型热菜。

主料：水发鱼翅 300 克。

配料：鸡肉 50 克，鸭肉 50 克，猪肉 50 克，火腿 30 克，黄秧白菜心 50 克。

调料：熟猪油 30 克，鸡汤 250 克，料酒 35 克，红酱油 10 克，盐 2 克，葱、姜各 10 克。

制作要领：鱼翅胶质要出尽；配料味要鲜浓；火候要足，煨时为防止汁稠糊锅，可用鸡鸭腿骨垫住鱼翅包；小火收汁，注意把握火候，为防止糊锅，可及时将鱼翅换入已用鸡油炙好的另一口锅中；必须是自然收汁，不能勾芡。

制作工艺：鱼翅涨发后，去尽杂质、子骨，放入蒸碗内，加注清水淹没，上笼用旺火蒸约 40 分钟，出笼滤干水（或入锅内反复出水三四次），放入有鸡汤、料酒的锅中小火煮 5 至

10分钟捞起，用净纱布包好待用。鸡、鸭、猪肉、火腿切成厚片（以上各料只取其味），入烧好的猪油锅中煸炒，然后加入料酒、红酱油、盐、葱、姜和汤再放入鱼翅包，在旺火上略烧后，移至小火上煨至鱼翅烂、汤汁浓。取出鱼翅包，去掉纱布，用汤筛将汤汁滤入锅中，再下鱼翅小火收汁，同时另置炒锅将洗净的黄秧白菜心煸炒至刚熟起锅，铺于盘底（或圆盘内围成一圆圈），鱼翅起锅舀于盘中即成。

成菜特点：色深黄，翅针光亮，质地柔软，爽口，汁稠味浓。向为四川高级筵席中的头菜。

（二）绣球鱼翅

绣球鱼翅为四川省名菜。是选用小毛鱼翅、鸡脯、鸡蛋清、肥膘、火腿、丝瓜、蛋皮等加多种调味品制成。含有丰富的蛋白质（胶质蛋白）、脂肪、维生素A、E、B_1、B_2、尼克酸，和钙、磷、铁、钾等营养素。

烹调类型：经蒸而制成的咸鲜味型汤菜。

主料：水发鱼翅250克。

配料：鸡脯肉50克，肥膘50克，火腿25克，丝瓜25克，蛋皮25克，蛋清25克。

调料：料酒30克，盐3克，上汤500克，胡椒1克，清汤250克。

制作要领：鱼翅要蒸至极软，鸡糁宜干不宜稀。

制作工艺：翅针先入沸水中氽几次，然后装入蒸碗，加煮沸的清汤（或沸水）上笼蒸半小时取出，再放入料酒、盐、好汤氽一次后，捞起晾干水气；火腿、丝瓜皮、蛋皮等均切成约3厘米长的细丝，与鱼翅搅匀待用。鸡脯、肥膘、蛋清打成鸡糁，挤成直径约1.5厘米的圆丸；盘中铺上鱼翅等丝，放上圆丸，再覆上鱼翅等丝，然后将圆丸和鱼翅等丝逐个团成绣球形，放入方盘中，上笼蒸5分钟取出，放入碗内加清汤、胡椒、料酒，待上菜前泡热，沥去蒸汤，绣球丸入碗另加烧好的特级清汤即成。

成菜特点：形色美观，汤清味鲜。适于作夏季筵宴头菜。

（三）鸡包鱼翅

鸡包鱼翅为四川省筵席名菜。是选用水发鱼翅、仔母鸡、猪肥瘦肉、火腿、冬笋、菠菜心等料加多种调味品烹制而成。含有丰富的蛋白质、脂肪、维生素A、E、B_1、B_2、C、尼克酸和钙、磷、铁等营养素。

烹调类型：经煨而烹制成的咸鲜味型热菜。

主料：水发鱼翅250克，仔母鸡一只约750克。

配料：火腿25克，冬笋25克，猪肉100克，菠菜心25克。

调料：猪油25克，酱油10克，胡椒1克，盐2克，料酒15克，姜葱各15克，鸡油10克，二汤25克。

制作要领：鸡开膛时切口不宜太大，脱骨时注意不要使皮破裂穿花。

制作工艺：仔母鸡宰杀去毛后，从翅根开口去掉内脏，洗净后取出腿骨和颈骨待用。水发鱼翅洗净入沸水锅氽两次，去掉腥味；再加姜葱、料酒入沸水锅中烧沸，下鱼翅连氽两次捞出待用。火腿、冬笋切成二粗丝，与鱼翅拌和匀，装入鸡腹内，再用一块干净纱布把鸡包好放入盘内，开口处向上。猪肉洗净后切成3.3厘米长的条块，再将鸡腿骨、颈骨斩成

3.3厘米长的段。炒锅在火上，加猪油烧至五成热（约110℃），倒入猪肉、鸡骨，加酱油、胡椒、盐、料酒、姜葱和二汤，烧开后去掉泡沫倒入烧锅，再将包好的鸡放入锅中，待沸后，用小火煨至鸡烂翅烂时捞出，去掉纱布，将鸡摆于盘中，周围放上汆熟的菠菜心；将烧鸡的原汁滗入铁锅烧浓，淋入鸡油，起锅淋于鸡上即成。

成菜特点：颜色鲜艳，形态美观，鱼翅浓香，鸡鲜酥烂。适于冬季食用。

（四）三丝鱼翅

三丝鱼翅为四川省名菜。是选用水发鱼翅、鸡脯肉、冬笋、冬菇、熟火腿等料加多种调味品烹制而成。含有丰富的蛋白质、不饱和脂肪酸，维生素A、E、B_1、B_2、尼克酸，以及磷、铁、碘等营养素。

烹调类型：经煨、烩烹制而成的咸鲜味型热菜。

主料：水发鱼翅300克。

配料：鸡脯肉50克，冬笋25克，冬菇25克，熟火腿25克。

调料：葱姜各15克，料酒20克，盐3克，胡椒粉2克，猪油25克，蛋清15克，干豆粉20克，鸡汤250克，清油25克，鸡油10克，味精0.5克。

制作要领：鱼翅要煨软烂，芡汁不要太多、太浓。

制作工艺：水发鱼翅用水汆两次，然后用凉水稍泡，捞起沥干，用纱布包好。鸡骨架出水，去净血泡，放于锅中垫底，再放上鱼翅包，加葱、姜、料酒、鸡汤，上火烧开出浮沫，转小火煨至鱼翅软烂。鸡脯肉去油筋，切成细丝；冬笋、冬菇、熟火腿分别切成丝，冬菇、冬笋氽过沥干；鸡丝加料酒、胡椒粉、盐拌匀，用蛋清豆粉上浆；炒锅中下猪油烧热，下鸡丝滑熟，下冬菇、冬笋、熟火腿，稍炒，加入少许鸡汤、精盐、料酒、胡椒粉炒匀上味，捞起沥去汤汁，盛入盘中作底。捞出已煨软烂的鱼翅包，解开纱布，炒锅烧热下油，放葱、姜炒出香味后，将煨鱼翅原汁沥入锅内，去掉葱姜，放鱼翅入锅调味，待入味捞起整齐地放在三丝上。锅内原汁用水豆粉勾成二流浓汁，加少许鸡油、味精，起锅浇于鱼翅上即成。

成菜特点：色泽乳白，三丝嫩脆，翅鲜软烂，汁浓味香。

（五）一品海参

一品海参为四川省名菜。是选用大开乌参、猪肥瘦肉、冬笋、口蘑、火腿、干贝等加多种调味品烹制而成。含有丰富的蛋白质、脂肪、维生素 B_1、B_2、尼克酸以及钙、磷、铁、碘等营养素。

烹调类型：经瓤、蒸烹制而成的咸鲜味型热菜。

主料：整开乌参一只（250 克）。

配料：猪肥瘦肉 50 克，冬笋 25 克，口蘑 5 克，火腿 25 克，干贝 25 克。

调料：猪油 50 克，酱油 10 克，料酒 30 克，盐 2 克，味精 0.5 克，二汤 50 克，豆粉 10 克，清汤 50 克。

制作要领：划参时深浅要一致，不得穿破；上笼时，碗口须封好，以免它味串入。

制作工艺：将整开乌参先在微火上燎两分钟，待粗皮烧成小泡后用刀刮尽，然后将海参剖为两片，入开水发泡两天，取出洗净后，放入加料酒的沸水锅中氽一次，再换水氽第二次。氽后用布将参揩干，用刀在参腔内划旗子块花纹，再用清汤喂一下待用。洗净的猪肥瘦肉、冬笋、口蘑、火腿、干贝等切成小方丁，入烧热的猪油锅中炒成馅，炒时先下猪肉丁，次下冬笋等丁和酱油、料酒。将准备好的参腹腔内填上馅料，装入蒸碗，碗内加二汤、盐、味精，然后封上碗口，上笼蒸一小时。食时滗去原汁后，翻扣盘中，以原汁加水豆粉调匀，淋于海参上即成。

成菜特点：形整大方，海参软糯，馅味鲜香。多为海参席头菜。

（六）家常海参

家常海参为四川省筵席名菜。是选用水发海参、猪肥瘦肉、黄豆芽（或建兰菜心），加郫县豆瓣、蒜苗等多种调味品烹制而成。含有丰富的蛋白质、脂肪、维生素 B_1、B_1、C、尼克酸、钙、磷、铁、碘等营养素。

烹调类型：经烧制而成的家常味型热菜。

主料：水发海参 300 克。

配料：猪肥瘦肉 50 克，黄豆芽 100 克。

调料：青蒜苗 20 克，郫县豆瓣 20 克，猪油 65 克，料酒 20 克，盐 1 克，鲜汤 300 克，红酱油 10 克，味精 0. 5 克，麻油 10 克，豆粉 10 克。

制作要领：海参本身无味，其鲜味全靠吸收汤汁及调料之味，故须用小火长煨，使其尽可能入味。

制作工艺：海参片成上厚下薄的斧楞片，用好汤喂两次捞起；猪肉剁细；青蒜苗切成大粗花；黄豆芽去净根脚；豆瓣剁细。炒锅置火上，下猪油烧至四成热时下猪肉，放料酒、盐煵散，盛盘；再将锅洗净，下猪油烧至六成热时，下豆瓣炒出香味呈红色时，加入鲜汤烧沸，将豆瓣渣捞出，放入海参及煵好的猪肉、红酱油、料酒推转，将锅移至小火上煨，待煨至亮油时，勾薄芡，下蒜苗、味精、麻油推转；另用一锅烧猪油，将黄豆芽炒熟，装入盘中垫底，然后将海参连汁淋于豆芽上即成。

成菜特点：汁色棕红，咸鲜微辣，海参烂糯，肉馅软酥。

（七）响铃海参

响铃海参为四川省筵席名菜。是选用水发海参、猪肥瘦肉、抄手皮、冬笋、蘑菇等加泡辣椒等多种调味品烹制而成。含丰富的蛋白质、脂肪、碳水化合物，维生素 B_1、B_2、尼克酸，钙、磷、铁、钾、碘等营养素。

烹调类型：经炸、烩而制成的荔枝味型热菜。

主料：水发海参 300 克。

配料：猪肥瘦肉 50 克，荸荠末 50 克，冬笋 25 克，蘑菇 25 克，泡辣椒 15 克，抄手皮 20 片。

调料：盐 3 克，料酒 20 克，味精 0.5 克，白糖 60 克，醋 40 克，胡椒粉 1 克，姜、葱、蒜各 10 克，猪油 25 克，混合油 250 克，豆粉 10 克，普汤 250 克。

制作要领：抄手包馅成形要好；炸时油温不要太高；海参滋汁要适量；海参淋到抄手上时，一要趁热，二要快。

制作工艺：猪肥瘦肉剁成细茸，加荸荠末、盐、胡椒粉、料酒、味精搅匀成馅，取抄手皮包馅成戽斗形的抄手待用；水发海参洗净切片，冬笋、蘑菇切片，泡辣椒去籽，切成斜方形。先将海参用普汤氽透后沥干。炒锅中下猪油烧热，下葱、姜、蒜、泡辣椒炒出香味，再下冬笋、蘑菇和海参，用盐、料酒、白糖、醋等兑成荔枝味滋汁加适量汤一起入锅，在小火上煨到入味时，勾二流芡；另用一锅下混合油烧至六成热时，下抄手，炸透呈金黄色，捞起装盘，淋上热油少许，迅速将煨好的海参连汁淋于抄手（即响铃）上，趁热发出响声即成。

成菜特点：成菜有声，倍添食趣。海参软糯，响铃酥脆，味带酸甜，集声、色、味、形于一体。

（八）蝴蝶海参

蝴蝶海参为四川省筵席名菜。是选用灰刺参、鲤鱼、猪肉、蛋清、冬笋、黑芝麻等为原料加多种调味品制成。含丰富的蛋白质、脂肪、维生素 B_1、B_2、尼克酸，以及钙、磷、铁、钾、碘等营养素。

烹调类型：经蒸制而成的咸鲜味型汤菜。

主料：干灰刺参一只（约 200 克）。

配料：鲤鱼肉 50 克，猪肥膘肉 50 克，冬笋 50 克，火腿 50 克，黑芝麻 10 克。

调料：蛋清 50 克，胡椒粉 1. 5 克，盐 5 克，豆粉 15 克，特级清汤 250 克，清汤 200 克。

制作要领：海参片上一定要抹蛋清豆粉；上笼蒸时火候要适度。若要蝴蝶造型色彩更鲜艳些，还可选用发菜、瓜皮、鱼翅等原料。

制作工艺：刺参用开水泡发洗净，入锅用清水煨约 20 分钟，捞起用刀片成 24 张 3 毫米厚的片，用刀修成蝴蝶状；鲤鱼肉剁成细茸，猪肥膘肉也剁成细茸，同入碗中加 1 个多蛋清、胡椒粉、盐和少许清水搅为鱼糁；蛋清半个加豆粉搅匀成蛋清豆粉。蝴蝶海参片入清汤中加盐约煮10分钟，捞出铺于板上用净布揩干，逐片在白色一面上抹匀蛋清豆粉，鱼糁团成橄榄形放于蝴蝶片中央成“蝴蝶”腹部。冬笋切成48根长丝和若干短丝，火腿切成短丝，然后将长笋丝作触须，火腿丝和短笋丝作足或身纹，黑芝麻作眼。将作好的“蝴蝶”放于盘中，上笼蒸三分钟定型，即取出放入二汤碗内，碗内加特级清汤和盐、胡椒即成。

成菜特点：胡蝶形状美观，汤鲜味美可口。

（九）金钱海参

金钱海参为四川省筵席名菜。是选用水发灰刺参、鸡脯、猪肥膘、鸡蛋、火腿、黄秧白等原料加多种调味品烹制而成。含丰富的蛋白质、脂肪、碳水化合物，维生素A、B_1、B_2、C、尼克酸，钙、磷、铁、碘等营养素。

烹调类型：经蒸制而成的咸鲜味型热菜。

主料：水发灰刺参400克。

配料：鸡脯50克，肥膘50克，火腿25克，黄秧白心50克。

调料：蛋清25克，豆粉25克，料酒10克，清汤500克，盐2克，味精0.5克，胡椒粉1克，鸡油10克。

制作要领：海参腹内一定要抹上蛋清豆粉。

制作工艺：水发灰刺参洗净后，用清汤喂入味，取出搌干表面水分；鸡脯与肥膘肉剁细制成鸡糁；蛋清加豆粉调成蛋清豆粉；火腿切成二粗丝，黄秧白心焯熟。先在海参腹内逐一抹上蛋清豆粉，再瓤入鸡糁，火腿丝顺放鸡糁中，然后将海参摆成圆形，上笼用大火蒸熟取出，晾冷后横切成厚1.5厘米的片，平铺于蒸碗内，上面放焯好的黄秧白入笼馏热。另在锅内烧开清汤，加盐、味精、料酒、胡椒粉等调料，勾二流芡，取出笼内海参扣入大盘中，将勾好芡的滋汁淋于盘中，再淋上些许鸡油即成。

成菜特点：形似古钱，汁色乳白，质地软糯。适于春冬食用。

（十）酸辣海参

酸辣海参为四川省名菜。是选用水发刺参、冬笋、蘑菇、鸡蛋、蕃茄、豌豆苗等原料，加多种调味品制成。含丰富的蛋白质、脂肪、碳水化合物，维生素A、B_1、B_2、C、尼克酸，以及钙、磷、铁、钾、碘等营养素。

烹调类型：经煮制面成的酸辣味型汤菜。

主料：水发海参300克。

配料：鸡蛋一个，熟冬笋25克，蘑菇25克，蕃茄50克，豌豆苗20克。

调料：葱10克，姜10克，胡椒粉5克，醋15克，味精0.5克，香油10克，清汤500克，豆粉10克。

制作要领：汤色不宜深，只勾清芡。

制作工艺：水发海参洗净，片成薄片，在沸水锅中煮后再用清汤喂一、二次，沥干待用。鸡蛋煮熟，取蛋白切成薄片；熟冬笋、蘑菇切成薄片；蕃茄去皮、籽，切成片；豌豆苗洗净，葱切成细花，姜切细粒。将切好的鸡蛋、冬笋、蘑菇、蕃茄放入汤碗中，加适量胡椒粉、醋、特制清汤在锅中烧沸，加味精，下海参、姜粒，加水豆粉勾成玻璃芡，下豌豆苗，待沸，加入香油，起锅舀入汤碗，撒上葱花即成。

成菜特点：汤清色彩纷呈，海参软糯，酸辣味醇。夏令食用尤佳。

（十一）干煸鱿鱼丝

干煸鱿鱼丝为四川省名菜。是选用优质干鱿鱼、猪肥瘦肉、绿豆芽加多种调味品制成。含丰富的蛋白质、脂肪、维生素 B_1、B_2、C、尼克酸，钙、磷、铁、碘等营养素。

烹调类型：经干煸烹制而成的咸鲜味型热菜。

主料：干鱿鱼一张（约 150 克）。

配料：绿豆芽 50 克，猪肉 50 克。

调料：酱油 10 克，料酒 15 克，素油 25 克，香油 10 克，盐 2 克，猪油 20 克。

制作要领：鱿鱼宜选体薄、干透、大张者；切前宜用火烤软；煸炒时须旺火，油温要较高（约 170℃），翻动要快，下豆芽后动作也要快；成菜不能勾芡汁。

制作工艺：干鱿鱼撕去头、须、骨，用火烤软后，横切成细丝，用温水淘洗净，控干水分；绿豆芽选体长者掐去头尾；猪肉切成二粗丝。炒锅内下猪油烧热，下肉丝煵干血水，炒散，加酱油、料酒少许推转，盛起。锅洗净，下素油烧热，下鱿鱼丝煸炒，散软卷曲后，烹料酒并放入煵好的肉丝、绿豆芽炒匀，烹汁加味，迅速炒匀，加少许香油，起锅入盘即成。

成菜特点：赭白相间，干香鲜脆，佐酒最宜。

（十二）荔枝鱿鱼卷

荔枝鱿鱼卷为四川省名菜。是选用优质干鱿鱼（或墨鱼)，加葱白、嫩黄瓜和多种调味品制成。含有较高的蛋白质、脂肪、碳水化合物，维生素 B_1、B_2、尼克酸，钙、磷、铁、碘等营养素。

烹调类型：经爆炒烹制而成的荔枝味型热菜。

主料：干鱿鱼一张（约 150 克）。

配料：葱白 30 克，嫩黄瓜 100 克，泡海椒 25 克。

调料：猪油 30 克，荔枝味芡汁 20 克，香油 15 克。

制作要领：鱿鱼浸泡要得当，以用手指能掐破鱿鱼表皮为度；剞花要在鱿鱼的凹面，其深度斜刀为鱼体厚的 3/4，直刀为鱼体厚的 4/5，刀口交叉成直角，最后改成三角形块；要掌握火候，要在油温 175～200℃间爆炒，动作要迅速；芡汁要适度，不宜过多，以泻于菜面即可。

制作工艺：将干鱿鱼水浸发软，洗净，去两头尖，顺割成三条，再用正反刀剞成荔枝花纹，然后切成三角形块。葱白切成橄榄形；嫩黄瓜去籽瓤，切成小鸟翅形；泡辣椒去籽，切成斜刀块。炒锅置中火上，烧热下猪油，烧至七成热(175℃)时下鱿鱼片，待鱿鱼卷缩成形时，下葱白、黄瓜、辣椒炒匀，烹入荔枝味芡汁，迅速翻炒均匀后，加入香油，炒匀起锅装盘即成。

成菜特点：色泽金红，形如荔枝，柔软带韧，酸甜味醇。

（十三）玻璃鱿鱼

玻璃鱿鱼为四川省筵席名菜。是选用上等干鱿鱼、菠菜心加调味品制成。含丰富的蛋白质、脂肪、维生素 B_1、B_2、C、尼克酸、钙、磷、铁等营养素。

烹调类型：经煮而烹制成的咸鲜味型汤菜。

主料：干鱿鱼一张（约150克）。

配料：菠菜心50克。

调料：清汤500克，胡椒粉1克，盐2克，味精0.5克，料酒10克。

制作要领：鱿鱼片要薄而不穿；碱味必须去尽。

制作工艺：鱿鱼用温水泡1小时，淘洗净，去掉头须、蒙皮，用快刀片成长约9厘米、宽约3.5厘米完整、均匀的薄片，放入碗内用温水淘洗一次，沥干水加白碱拌匀，加开水盖严，焖至水不烫手时，将水滗去，再加开水盖焖，如此反复至鱿鱼色白、透明、体软，再用清水漂起待用。菠菜心洗净，入沸水锅中汆熟，捞起放汤碗中垫底。锅内烧清汤，沸后放入鱿鱼片，喂两次后，捞出盖在菠菜心上。锅内另用清汤烧沸，加胡椒粉、盐、味精、料酒吃味后，灌入汤碗内即成。

成菜特点：汤色清澈，鱿鱼色白透明如同玻璃，配以碧绿菜心，色清爽，入口滑嫩，汤味清鲜。

（十四）荷包鱿鱼

荷包鱿鱼为四川省筵席名菜。是选用水发鱿鱼片、鲜鱼净肉（或鸡脯肉）、猪肥瘦肉、鸡蛋、樱桃、绿色菜帮、水发薄海带、水发发菜等料，加各种调味品制成。含丰富的蛋白质、脂肪、碳水化合物，维生素A、B_1、B_2、C、尼克酸，钙、磷、铁、碘等营养素。

烹调类型：经蒸而制成的咸鲜味型汤菜。

主料：水发鱿鱼300克。

配料：鱼肉50克，猪肥膘肉50克，蛋黄10克，樱桃10克，绿色菜帮25克，海带10克，发菜10克。

调料：料酒25克，胡椒粉3克，盐4克，蛋清30克，豆粉20克，味精0．5克，葱、姜各15克，清汤750克。

制作要领：制糁时鱼肉（鸡肉）须剁茸；搅动时须顺一个方向搅匀；鱿鱼片上要抹蛋清豆粉；所用清汤要清。

制作工艺：碱发鱿鱼片用开水泡去碱味沥干入锅，加汤、料酒、胡椒粉氽透，捞出晾凉后，用桃形模将鱿鱼片按成桃形，搌干水；鱼肉（去皮和带血肉）、猪肥膘分别用刀背捶成细茸，去净茸肉细刺和筋膜，再用刀口排剁一遍，分别入碗；葱、姜拍破用清水泡上；将鱼茸用泡葱、姜的水调成糊状，下盐、胡椒粉、料酒、猪肉茸用力向一个方向搅动，再加入蛋清、水豆粉搅上劲发亮成为鱼糁；将蛋黄搅匀摊成蛋皮后，切成细丝；樱桃切成细牙；菜帮氽后，一半切成薄的小菱形块，另一半切成短丝；薄海带切成长约1厘米的细丝；用蛋清加干豆粉调成蛋清豆粉。将桃形鱿鱼片抹上蛋清豆粉，鱼糁挤成圆球形放在鱿鱼片上，用五根蛋皮整齐地按在桃尖上，作为须；海带丝一根卷折整齐插入桃尾作带子；用四牙樱桃按在糁上成花朵状；菜帮丝顺按在花朵下，作花杆；菜帮菱形小块二片分按在花杆两旁作叶，杆下面放少量发菜作为土地。依次作完，摆在盘内，上笼蒸熟取出（保持温度）。炒锅内加特制清汤烧沸，下盐、胡椒粉、料酒、味精调好味，取出荷包鱿鱼桃摆在汤碗内；灌入清汤即成。

成菜特点：形美色艳，汤清味鲜，质软嫩滑。

（十五）菠饺鱼肚

菠饺鱼肚为四川省筵席名菜。是选用黄鱼肚、面粉、猪瘦肉、熟火腿、熟鸡皮、菠菜等原料，加多种调味品制成。含有丰富的蛋白质、脂肪、碳水化合物，维生素 B_1、B_2、C、尼克酸，钙、磷、铁、碘等营养素。富含胶质蛋白。

烹调类型：经烩制而成的咸鲜味型汤菜。

主料：油发鱼肚 250 克。

配料：面粉 50 克，猪瘦肉 50 克，菠菜 25 克，鸡皮 25 克，火腿 25 克。

调料：盐 3 克，胡椒粉 2 克，味精 0.5 克，猪油 25 克，葱、姜各 10 克，鲜汤 250 克，奶汤 150 克。

制作要领：鱼肚油质要除尽；饺子不宜过大。

制作工艺：油发水鱼肚加入面粉揉搓，去净油腻，冲洗净入开水中氽透，去净油沫，捞起沥干，改成 4 厘米见方、0.1 厘米厚的片，用鲜汤喂起。熟火腿、鸡皮切成薄片。猪肉剁茸，加盐、胡椒粉、味精调成肉馅；菠菜洗净，入开水锅氽熟，凉后剁成细茸，加清水与面粉和匀成面团，然后擀成饺子皮，取馅心包好。炒锅内下猪油浇热，下葱段、姜片炒出香味，下奶汤烧开，打去葱姜，加盐、胡椒，下鸡皮、火腿及挤干水的鱼肚，烩至入味起锅，盛入大圆窝盘中，在鱼肚周围舀上煮熟的菠饺，灌上奶汤即成。

成菜特点：白绿相衬，色彩调和，细嫩柔软，汤鲜味美。多为筵席头菜。

（十六）红烧鱼皮

红烧鱼皮为四川省筵席名菜。是选用水发鱼皮、冬菇、冬笋、黄秧白、熟瘦火腿、大蒜等原料加多种调味品制成。含有较高的蛋白质、脂肪、碳水化合物，维生素 B_1、B_2、C、尼克酸，以及钙、磷、铁、碘等营养素。富含胶质蛋白。

烹调类型：经煮、烧、蒸而制成的咸鲜味型热菜。

主料：鱼皮250克。

配料：冬菇30克，冬笋25克，火腿25克，黄秧白心25克，大蒜50克。

调料：猪油30克，葱姜各30克，料酒25克，酱油10克，盐4克，胡椒粉1克，味精0.5克，鸡油10克，豆粉10克，糖10克，鸡汤500克。

制作要领：鱼皮火候要到家；勾薄芡。

制作工艺：鱼皮用温水洗净，入沸水锅中汆透，晾冷后改成长约6厘米、宽约2.5厘米的条形，放入沸水锅中，加葱节、姜片、料酒连续汆二遍，以去异味和胶质，然后挑去葱姜备用。冬菇、冬笋、火腿均切片；黄秧白心入沸水内汆透，捞起晾冷，改成牙瓣；大蒜修整齐，入碗加汤、盐、料酒上笼蒸炽待用。炒锅内下猪油烧热，下葱节、姜片、鱼皮稍煸，加鸡汤、料酒、胡椒粉、盐、酱油、糖，沸后去尽浮泡。铝锅内放鸡骨架垫底，再倒入鱼皮，小火煨至炽软时，将鱼皮挑出，原汤沥去渣骨，锅洗净，下鱼皮、冬菇、冬笋、火腿、原汤一起煨起。炒锅下猪油少许，待热将汆透的黄秧白稍煸，加盐、料酒、汤烧入味，捞起铺于盘中。再把煨好的鱼皮倒入炒锅，下蒸好的大蒜、味精调味，勾水豆粉薄芡收成浓汁，淋上鸡油，起锅盖于黄秧白上即成。

成菜特点：色泽金黄，软糯滑嫩，浓香味醇，鲜美可口。

（十七）红烧鱼唇

红烧鱼唇为四川省筵席名菜。是选用干的长江鲟鱼嘴吻——鱼唇、菜心、鸡翅、鸡足等料加多种调味品和鸡汤、猪肘排骨汤、火腿汤等烹制而成。含丰富的蛋白质、脂肪、维生素 B_1、B_2、C、尼克酸，钙、磷、铁、碘等营养素。且含有丰富的胶质蛋白质，且有滋润皮肤，养颜作用。

烹调类型：经烧而烹制成的咸鲜味型热菜。

主料：干鱼唇 100 克。

配料：鸡翅 100 克，鸡足 100 克，菜心 50 克。

调料：猪油 35 克，姜、葱各 10 克，料酒 10 克，胡椒粉 2 克，糖 5 克，盐 3 克，味精 0.5 克，鸡汤 300 克，猪肘排骨汤 150 克，火腿汤 100 克。

制作要领：鱼唇烧制要到家，应粑烂软糯。

制作工艺：干鱼唇放入沸水中焖 90 分钟取出，去净沙质和骨，切成 4 厘米长、约 2 厘米宽的条块，用沸水汆几次，每次汆后用清水透洗一次，然后盛入烧锅中，掺鸡汤淹过鱼唇，用文火烧 90 分钟取出。炒锅置旺火上，下猪油烧热，下姜、葱爆出香味，掺入鸡汤、猪肘排骨汤和火腿汤，再下料酒、胡椒粉、盐、糖、味精等调味品和鱼唇，待沸，舀入垫有鸡翅、足（经出水）的烧锅内，用文火烧粑；菜心洗净，用猪油煸炒后，加鸡汤烧粑，放入盘中垫底，拣去鱼唇锅内的姜、葱和鸡翅、足，用武火收汁待浓，连汁浇盖于菜心上即成。

成菜特点：口感粑糯鲜香，营养极为丰富。

（十八）一品熊掌

一品熊掌为四川省筵席名菜。是选用肥嫩熊前掌一对，加母鸡、猪肥瘦肉、猴头等料和多种调味品烹制而成。含有丰富的蛋白质、脂肪、维生素 B_1、B_2、尼克酸，以及钙、磷、铁等营养素。且具有滋阴润燥，补气养血，益髓添精的功效。

烹调类型：经煮、煨烹制而成的咸鲜味型热菜。

主料：肥嫩熊前掌一对。

配料：母鸡肉100克，猪肉100克，猴头蘑30克。

调料：猪油50克，糖7.5克，盐5克，料酒35克，胡椒粉2克，葱姜各30克，味精1克，鸡油10克，鸡汤30克，鲜汤1000克。

制作要领：熊掌膻味要去尽；取趾骨时要注意保持掌形完整，滋汁要适量。

制作工艺：熊掌入锅加水煮两小时捞出，去净茧巴、茸毛，洗净，再由掌背用刀顺拉一条口（掌底不能拉透）后，下开水中连氽三次，每次氽后用清水冲洗，然后去尽趾骨。在鲜汤中加葱姜、料酒烧沸，再下熊掌氽三次（每氽一次需换汤和调料），捞起沥干，用纱布包好。鸡、猪肉剁切成块；炒锅中下猪油烧热，放鸡块、猪肉煸炒；在铁锅底用竹筷架成井字形，放入包好的熊掌和经煸炒的鸡块、猪肉，加汤淹过，上火烧开，去净浮沫，下糖色调成浅红色，下盐、料酒、胡椒粉上味，移小火上煨炽；猴头蘑洗净，入开水中氽过，捞起用凉水冲凉，改成均等的块，加鸡汤、盐、料酒、胡椒粉烧味。把煨好的熊掌取出，去掉纱布，掌心朝上放入盘内，猴头蘑沥干摆于熊掌周围，用锅内原汁加味精收成浓汁，淋上鸡油，起锅淋于熊掌上即成。

成菜特点：色泽红亮，掌形完整，质地糯烂，浓香味醇。是高级筵席头菜。

（十九）红烧鹿筋

红烧鹿筋是四川省筵席名菜。是选用水发鹿筋加母鸡、猪五花肉和鲜菜心及多种调味品制成。含有丰富的蛋白质、脂肪、维生素 B_1、B_2、C、尼克酸，以及钙、磷、铁等营养素。且具有补五脏、调血脉，治虚劳羸瘦之功效。

烹调类型：经煨烹制而成的咸鲜味型热菜。

主料：水发鹿筋 250 克。

配料：鸡肉 50 克，猪五花肉 50 克，鲜菜心 50 克。

调料：葱姜各 20 克，猪油 25 克，料酒 25 克，味精 1 克，酱油 15 克，鸡油 10 克，盐 2 克，鲜汤 500 克，普汤 400 克。

制作要领：去尽膻味；煨至烂软。

制作工艺：鹿筋去尽油皮、肉和杂质，切成 5 厘米长的段，再用普汤、葱节、姜片、料酒连续氽三遍，捞起沥干备用。鸡肉、连皮五花肉剁切成块，炒锅上火，下猪油烧热，放入鸡块、猪肉煸炒，然后加入姜、料酒、味精、酱油、鲜汤和鹿筋烧开，掠尽浮沫，舀入砂锅中，用微水煨至鹿筋烂软。菜心用煨鹿筋的汤煮烂，打起盛于盘中作底；鸡块，猪肉捞出放于盘内，然后拣鹿筋放在菜心上。砂锅中的原汁滗入炒锅内用旺火收浓，下味精，淋入鸡油，起锅淋于鹿筋上即成。

成菜特点：色泽黄亮，软糯味醇。

（二十）香酥麻哝

香酥麻哝为四川省传统乡土风味名菜。是选用麻哝鸟为原料，加葱段、胡椒粉、姜、花椒、川盐、料酒、酱油、五香粉、白糖等调料烹制而成。含有丰富的蛋白质、不饱和脂肪酸、维生素 B_1、B_2、C、尼克酸，钙、磷、铁等营养素。且具有壮阳益精，治疗阳虚羸瘦和阳萎的食疗作用。

烹调类型：经蒸、炸制而成的五香味型冷菜。

主料：麻啄鸟四只。

调料：精盐 3 克，五香粉 15 克，白糖 10 克，花椒 2 克，葱 10 克，姜 10 克，料酒 15 克，菜油 300 克。

制作要领：麻啄鸟需用水闷死；入锅炸制不能过头。

制作工艺：将麻啄鸟头部浸入水中闷死，干煺毛（茸毛用酒精火燎尽），剖腹去内脏，洗净，放入沸水锅中煮一下，再洗净，斩去脚爪。将精盐、五香粉、胡椒粉、白糖调匀后，均匀地抹在麻啄身内外，然后装盘内，加花椒、葱、姜（拍破）、料酒，盆口用皮纸封严，上笼蒸约 1 小时至烂，取出搌干水。炒锅置旺火上，下菜油烧热至约 200℃，放入麻啄炸至呈金黄色，捞出装盘，配葱酱味碟共食。

成菜特点：色泽金黄，骨酥肉嫩，香味浓郁，别具风味，佐酒最佳。

（二十一）陈皮兔丁

陈皮兔丁为四川省筵席名菜。是选用鲜兔净肉，配陈皮，加花椒、干辣椒、精盐、酱油、白糖、料酒、葱、姜、香油等调辅料制成。含丰富的蛋白质、不饱和脂肪酸、维生素 B_1、B_2、尼克酸，以及钙、磷、铁等营养素。

烹调类型：经炸收烹制而成的陈皮味型冷菜。

主料：兔肉 500 克。

配料：陈皮 50 克。

调料：酱油 20 克，料酒 20 克，葱 15 克，姜 10 克，盐 3 克，干辣椒 10 克，菜油 500 克，花椒 3 克，鲜汤 500 克，白糖 30 克，味精 1 克，香油 10 克。

制作要领：也可选用带骨兔肉；收汁时也可加入红油。

制作工艺：兔肉洗净斩成约1.5厘米见方的丁，入碗加酱油、料酒、葱节、姜片、盐拌匀腌渍；陈皮擦净，切成小方块；干辣椒擦净去蒂切成长节，去籽。炒锅置旺火上，下菜油烧热（约180℃），拣去兔丁内的姜、葱，滤去腌渍的汁，将兔丁入油锅炸干水气捞出；倒去炸油，锅内另下菜油少许烧热，下花椒炸糊捞出，下陈皮、辣椒节炸至辣椒呈棕红色时，加鲜汤，放入兔丁、酱油、盐、料酒、白糖烧沸后，移小火煨至汤汁快干，加味精，用中火收干汤汁，待上味亮油，即放入香油炒匀，起锅装盘即成

成菜特点：色泽棕红，麻辣味厚，陈皮芳香。

植物类菜式

（一）麻酱凤尾

麻酱凤尾为四川省家常风味名菜。是选用嫩莴笋尖，加酱油、芝麻酱、味精、精盐、芝麻油等调料制成。含植物蛋白质、不饱和脂肪酸，B族维生素，钙、磷、铁等营养素。

烹调类型：经焯、拌烹制而成的酱香味型冷菜。

主料：嫩莴笋尖400克。

调料：细盐3克，芝麻酱10克，酱油10克，味精0.5克，芝麻油10克。

制作要领：莴笋尖长度以10～12厘米为宜，改刀时让尖部相连；焯至断生即可，以保持其清香。

制作工艺：莴笋尖去皮，修整齐后，在粗端改成四瓣（切开部分为莴笋尖长度的3/5），放入沸水锅内焯至断生捞出，撒上少许细盐拌匀摊开，整齐摆放于盘内，淋上由芝麻酱、酱油、味精、芝麻油调成的味汁即成。

成菜特点：质地脆嫩，酱香浓郁，鲜美可口，清爽宜人。

（二）糟醉冬笋

糟醉冬笋为四川省筵席名菜。是选用鲜冬笋，加醪糟汁、精盐、生鸡油、味精、胡椒粉、鲜汤等调辅料制成。含植物蛋白质、脂肪、碳水化合物，B 族维生素，钙、磷、铁、钾等营养素。

烹调类型：经糟醉、蒸烹制而成的香糟味型冷菜。

主料：鲜冬笋 500 克。

调料：醪糟汁 25 克，精盐 3 克，生鸡油 10 克，味精[illegible]克，胡椒粉 2 克，鲜汤 50 克。

制作要领：改条时可先切大片，再用刀将其拍松（注意不要拍烂）后撕成条形；蒸好后冬笋要同汤汁一起晾凉。

制作工艺：鲜嫩冬笋去掉外壳洗净后，顺切成长约 5 厘米、粗约 1 厘米的一字条形，装碗中加醪糟汁、盐、胡椒粉、鲜汤拌匀，再将洗净的鸡油覆盖于上，然后将碗盖上盖或用皮纸封碗，上笼用旺火蒸约 30 分钟取出，拣去油渣，晾冷后装盘，淋上原汁即成。

成菜特点：色泽乳白，质地脆嫩，糟香醇浓，略咸回甜，清淡爽口。

（三）干煸冬笋

干煸冬笋为四川省传统名菜。是用鲜冬笋，配肥瘦猪肉、芽菜，加料酒、川盐、酱油、味精、芝麻油、化猪油、白糖等制成。含较多蛋白质、脂肪、碳水化合物，B 族维生素，钙、磷、铁等营养素。

烹调类型：经干煸而成的咸鲜味型热菜。

主料：冬笋 500 克。

配料：肥瘦猪肉 50 克，芽菜 50 克。

调料：料酒 10 克，盐 3 克，酱油 10 克，白糖 10 克，味精1克，芝麻油10克，化猪油500克。

制作要领：须选用鲜冬笋；修笋衣时不要修去嫩衣；芽菜要用嫩的部分，淘净泥沙。

制作工艺：将冬笋切成厚片拍松，再切成4厘米长、0.8厘米宽的条；肥瘦猪肉剁成绿豆大小的细粒。炒锅置火上，下化猪油烧至六成热（约132℃）时，下冬笋炸至浅黄色捞起，滗去油，锅内留油50克，下肉粒炒至散籽酥香，放入冬笋煸炒至起皱时，再烹入料酒，依次下盐、酱油、白糖、味精，每下一样煸炒几下，最后将芽菜入锅炒出香味，放入芝麻油，炒转起锅即成。

成菜特点：脆嫩兼备，咸鲜干香，回味悠长。

（四）鸡皮慈笋

鸡皮慈笋为四川省筵席名菜。是选用慈竹嫩笋，配熟鸡皮，加川盐、料酒、奶汤、姜、葱、鸡化油等调辅料制成。含有蛋白质、脂肪、碳水化合物，维生素B_1、B_2、尼克酸，以及钙、磷、铁等营养素。

烹调类型：经蒸、烩制而成的咸鲜味型热菜。

主料：慈竹嫩笋500克。

配料：熟鸡皮100克。

调料：盐3克，味精1克，猪化油50克，鸡化油10克，姜、葱各10克，奶汤350克，料酒10克，水豆粉20克。

制作要领：笋片须用明矾水浸泡，以去其苦涩味；烩时汤不宜太多。

制作工艺：慈竹嫩笋去外壳，选前端嫩部切成薄片，漂入明矾水中，然后入锅烧沸，氽约5分钟，捞出漂入清水中。

选黄色或白色鸡皮，切成约3.5厘米大的菱形，入碗加料酒、奶汤入笼蒸20分钟待用。炒锅置旺火上，下猪化油烧热（约150℃），下姜、葱炒出香味，加入奶汤烧沸后，拣去姜、葱，放入笋片烧约3分钟，加川盐、味精、鸡皮（连同蒸汁）烧入味，勾薄芡，淋上鸡化油，起锅盛入汤盘即成。

成菜特点：色泽淡雅，黄白相间，慈笋嫩脆，鸡片柔糯，清淡醇鲜。

（五）蛋酥花仁

蛋酥花仁为四川省名菜。是选用优质花生仁，配鸡蛋、豆粉，加精盐精制而成。含有蛋白质，不饱和脂肪酸，维生素A、B_1、B_2、尼克酸，钙、磷、铁等营养素。

烹调类型：经炸烹制而成的咸鲜味型冷菜。

主料：花生仁500克。

配料：鸡蛋100克，豆粉50克。

调料：精盐5克，菜油500克。

制作要领：花生仁要选大小均匀的，入沸水稍泡即捞起；调制蛋豆粉不能加水；入油锅后要轻轻拨动，使其散籽；炸时要注意火候，可将花生仁置漏瓢中轻轻抖动，有脆响时即已酥脆，可捞出。也可在蛋豆粉中加入五香粉，则成五香味型花仁。

制作工艺：先用少量蛋清将豆粉调散，再将鸡蛋全部加入调成蛋豆粉糊。花仁用沸水泡一下捞起，加盐拌匀，放入蛋豆粉糊中穿衣。锅置火上，放菜油烧热（约120℃），下花仁炸至呈金黄色时捞起，晾凉装盘即成。

成菜特点：色泽金黄，酥香可口。

（六）酱酥桃仁

酱酥桃仁为四川省筵席名菜。是选用干核桃仁，配白糖、甜酱制成。含蛋白质、不饱和脂肪酸、碳水化合物，维生素B_1、B_2、尼克酸，钙、磷、铁、钾等营养素。

烹调类型：经炸、粘糖烹制而成的酱香味型冷菜。

主料：干核桃仁 500 克。

调料：猪化油 500 克，白糖 100 克，甜酱 50 克。

制作要领：要选优质无霉烂的、瓣形完整的桃仁；桃仁炸时，注意火候，不要炸糊；粘糖时，先翻炒较快，快冷却时翻炒要轻、慢，使桃仁不粘团即可。

制作工艺：桃仁置容器中，加开水消焖（约 2～3 分钟），待桃仁皮起皱，捞出撕去皮衣。炒锅置中火上，下猪化油烧热（约 120℃），下桃仁炸至呈金黄色时捞出。锅洗净置火上，加清水、白糖不断搅动，至糖化、糖汁翻起小泡时，加入甜酱，搅拌均匀，待再翻大泡时，将锅端离火口，把炸好的桃仁倒入，轻轻搅匀，使糖汁均匀粘裹在桃仁上，冷却后装盘即成。

成菜特点：香酥化渣，酱香味浓，甜味突出，回味带咸。

（七）开水白菜

开水白菜为四川省筵席名菜。是选用黄秧白菜心，配特制清汤，加川盐、胡椒粉、味精、料酒等调料制成。含碳水化合物、脂肪、维生素B_1、B_2、C、尼克酸，钙、磷、铁等营养素。

烹调类型：经焯、蒸烹制而成的咸鲜味型汤菜。

主料：黄秧白菜心 500 克。

调料：清汤 1000 克，精盐 3 克，胡椒粉 2 克，味精 1 克，料酒 10 克。

制作要领：焯菜心时要水宽汤沸，焯的时间要掌握好，以断生为度；焯后的菜心要立即放入冷开水中漂凉，以保持菜心的原色。

制作工艺：黄秧白选菜心，抽去筋，洗净，入沸水锅中焯至刚断生，捞出立即入冷开水中漂凉。然后取出修整齐，理好放入汤碗中，加料酒、味精、川盐、胡椒粉和清汤，上笼用旺火蒸烫约 2 分钟，取出，滗去汤，再用沸清汤过一次，最后将烧沸的特制清汤，撇去浮沫，灌入汤碗即成。

成菜特点：汤清澈，菜鲜嫩，清香淡雅。

（八）鱼香茄饼

鱼香茄饼为四川省筵席名菜。是选用鲜嫩茄子，配猪肥瘦肉、鸡蛋、豆粉，加泡辣椒、姜、蒜末、川盐、酱油、白糖、醋、味精等调料制成。含蛋白质、脂肪，碳水化合物、维生素 A、B_1、B_2、尼克酸，以及钙、磷、铁等。

烹调类型：经炸、熘烹制而成的鱼香味型热菜。

主料：鲜嫩茄子 500 克。

配料：猪肥瘦肉 75 克，鸡蛋 40 克。

调料：豆粉 35 克，川盐 3 克，泡辣椒 10 克，酱油 10 克，白糖 15 克，醋 5 克，味精 1 克，鲜汤 50 克，菜油 500 克，姜、蒜末各 10 克，葱 10 克，香油 10 克。

制作要领：肉馅味宜淡；填馅不宜过多；茄片填上馅料后要立即裹上蛋糊油炸，炸时要掌握好火候。

制作工艺：鸡蛋与干豆粉调成蛋糊；猪肉剁细，入碗加川盐、水豆粉、少量清水拌匀成肉馅；泡辣椒去籽剁细；茄子去外皮，切成连夹片（两刀一断，每片厚约 3 毫米），将肉馅逐一填入茄片中。盐、酱油、白糖、醋、味精、水豆粉入碗，加少量鲜汤兑成鱼香味芡汁待用。锅置旺火上，放菜油烧热（约 150℃），将夹好馅的茄饼，入蛋糊中粘裹均匀后，放入油锅炸至进皮捞起。待油温升高，再下茄饼炸至呈金黄色时捞出。另取炒锅置火上，下菜油烧热（约 80℃），下姜、蒜末、泡辣椒炒香至油呈红色时，烹入芡汁、葱花，待收汁淋入香油，起锅浇在茄饼上即成。

成菜特点：色泽金红，鱼香味浓，外酥内嫩，别具风味。

（九）炝黄瓜

烩黄瓜为四川省传统名菜。是选黄瓜，加干辣椒、花椒、味精、精盐、熟菜油、葱等调料制成。含碳水化合物、脂肪，维生素 B_2、C，钙、磷、铁等营养素，且具有清热解毒之功效。

烹调类型：经炝制而成的麻辣味型素菜。

主料：黄瓜 400 克。

调料：盐 3 克，菜油 40 克，干辣椒 5 克，花椒 2 克，葱 10 克，味精 0.5 克，芝麻油 5 克。

制作要领：干辣椒、花椒不能烧焦；黄瓜下锅后不能久炒，断生即起锅。

制作工艺：黄瓜洗净去蒂，切成约 4 厘米长、1 厘米粗的条，码盐少许，葱切成马耳朵形；锅置旺火上，加菜油烧至五成热（约 125℃），放入干辣椒节炒至呈棕褐色时，下花椒炒出香味，再放黄瓜快速炒匀，加入精盐、味精、葱炒至断生，淋芝麻油起锅即成。

成菜特点：质地脆嫩，香辣微麻。

（十）炝莲白卷

炝莲白卷为四川省传统名菜。是选用莲花白，加干辣椒、花椒、白糖、醋、鲜汤等调料制成。含碳水化合物、B族维生素、钙、磷、铁营养素。

烹调类型：经炝、炒烹制而成的糊辣味型冷菜。

主料：莲花白500克。

调料：干辣椒10克，花辣3克，盐3克，白糖15克，味精1克，醋5克，酱油10克，香油10克，菜油50克，鲜汤50克，豆粉10克。

制作要领：莲花白下锅不宜久炒；菜卷要裹紧，粗细均匀，才成型美观。

制作工艺：将整张的莲花白叶去茎洗净沥干水；干辣椒去蒂籽；用盐、味精、醋、酱油、白糖、水豆粉、鲜汤兑成芡汁。锅置旺火上，放油烧至五成热（约110℃），下干辣椒、花椒炸呈棕褐色捞起，莲白放入锅中炒至断生，烹入芡汁，炒匀起锅，入盘晾凉。干辣椒、花椒剁细，撒莲花白上，将莲花白裹成直径1厘米的卷，再切成3厘米长的节，整齐入盘，将原汁放入香油淋上即成。

成菜特点：成型美观，白菜脆嫩，香辣酸甜。

（十一）瓤甜椒

瓤甜椒为四川省筵席名菜。是选用四川特产大红甜椒（俗称灯笼海椒），配猪肥瘦肉，加川盐、料酒、味精、鸡化油、水豆粉等调料精制而成。含有蛋白质、脂肪、碳水化合物，维生素 B_2、C，尼克酸，以及钙、磷、铁等营养素。

烹调类型：经蒸烹制而成的咸鲜味型热菜。

主料：甜椒 500 克。

配料：猪肥瘦肉 100 克。

调料：川盐 2 克，味精 2 克，姜葱汁 10 克，蛋清 45 克，豆粉 30 克，清汤 200 克，鸡化油 10 克，料酒 10 克。

制作要领：瓤馅以九成满为宜，馅宜稍干；蒸至馅刚熟为宜；馅料内亦可加玉兰片、蘑菇。

制作工艺：甜椒在旺火上烧至周身起皱后，去掉皮、蒂柄，沿蒂柄处削下作盖，去净籽。猪肉剁细，加蛋清豆粉、川盐、味精、姜葱汁拌匀，瓤入甜椒腹内，盖上盖，封口处抹上蛋清豆粉粘牢后，逐个摆放于蒸碗内，用皮纸封住碗口，上笼用旺火蒸约 20 分钟（肉馅熟）取出，去掉皮纸，入盘摆成梅花型（盖不用）。炒锅内加清汤、料酒、味精烧沸，用水豆粉勾清二流芡，淋入鸡化油。浇于甜椒上即成。

成菜特点：色形美观，红润鲜艳，咸鲜嫩滑，微辣中略带回甜，清爽可口。

（十二）冬瓜燕

冬瓜燕为四川省筵席名菜。是选用冬瓜，配熟瘦火腿，加川盐、味精、干细淀粉、清汤等料制成。含蛋白质、碳水化合物，B 族维生素和维生素 C，钙、磷、铁等营养素。且具有清热解毒，利尿消肿之功效。

烹调类型：经氽烹制而成的咸鲜味型汤菜。

主料：冬瓜 500 克。

配料：熟瘦火腿 50 克。

调料：干细淀粉 15 克，川盐 2 克，清汤 500 克，味精 1 克。

制作要领：瓜丝粗细要均匀；扑粉要均匀，而不脱粉；汆时火不宜大，锅内水微沸即可，以免冲脱淀粉；汆的时间宜短；入笼加热时间不宜过长。

制作工艺：冬瓜去皮、籽后，片成薄片，再切成长约 10 厘米的银针细丝；扑上干细淀粉；熟火腿切成细丝。锅置火上掺清水烧沸，放入冬瓜丝汆至色白发亮，捞入冷开水中漂凉后，捞出整理好放入汤碗内，加川盐、火腿丝、清汤、味精，置笼中馏至瓜丝入味即成。

成菜特点：菜色素雅，汤清澈，形如燕窝，柔软嫩滑。

（十三）金钩青菜心

金钩青菜心为四川省筵席名菜。是选用鲜嫩青菜心，配大金钩、鸡汤，加川盐、料酒、胡椒粉、味精、鸡化油、姜、葱等料制成。含蛋白质、脂肪、碳水化合物、粗纤维，B 族维生素，钙、磷、铁、碘等营养素。

烹调类型：经烩烹制而成的咸鲜味型热菜

主料：青菜心 500 克。

配料：大金钩 30 克。

调料：料酒 15 克，胡椒粉 2 克，猪化油 50 克，葱、姜各 10 克，鸡汤 300 克，盐 2 克，味精 1 克，豆粉 10 克，鸡化油 10 克。

制作要领：入锅汆时间不要太长；烩时注意保持菜心形状。

制作工艺：青菜心去皮筋，洗净沥干，入沸水锅汆至断生，捞出入凉水内漂凉后，捞出轻轻挤出水分，改成牙瓣。金钩洗净，放入碗内加汤、料酒、胡椒粉上笼蒸软透取出。炒锅置旺火上，下猪化油烧热（约100℃），下葱节、姜片稍炒，掺鸡汤烧沸后，拣去姜、葱，下盐、胡椒粉、料酒、味精、金钩、青菜心烧至熟透入味时，先捞起菜心整齐地摆于盘内，再将金钩捞起放在上面。锅内下水豆粉勾二流芡，放鸡化油和匀，起锅淋于菜心上即成。

成菜特点：色润翠绿，咸鲜清香，质嫩爽口。

（十四）口袋豆腐

口袋豆腐为四川省传统名菜。是选用石膏豆腐，配冬笋尖、时令绿叶菜心，加川盐、胡椒粉、料酒、奶汤、肉汤、食用碱等调料制成。含蛋白质、脂肪，维生素B_1、B_2、C、尼克酸，钙、磷、铁等营养素。

烹调类型：经炸、煮烹制而成的咸鲜味型汤菜。

主料：豆腐750克。

配料：冬笋50克，菜心50克。

调料：食用碱10克，熟菜油500克，肉汤500克，奶汤500克，胡椒粉2克，料酒10克，川盐3克，味精1克。

制作要领：掌握好炸豆腐的火候；在碱水中泡豆腐，要掌握好浸泡时间，水不要太开，使豆腐成形而不烂，内空而有浆。

制作工艺：将豆腐去皮，切成6厘米长、2厘米见方的条，共30条；冬笋切成骨牌片；菜心洗净。用炒锅两口，分置于两个火炉上，其中一锅放入沸水500克，加食用碱保持微沸；

另一锅放熟菜油烧至七成热（约175℃），将豆腐条分次放入，炸呈金黄色捞出，放入碱水锅内泡约4分钟，捞起放入清水中退碱，然后再第二次放入碱水锅中泡约5分钟后，用清水再漂。将炸泡好的豆腐再在沸入中过一次，并用肉汤氽2次。将奶汤入锅中烧沸，加冬笋、胡椒粉、料酒、川盐烧沸后，下豆腐条、菜心、味精，起锅盛入汤碗即成。

成菜特点：汤白菜绿，味咸鲜而醇香。

（十五）熊掌豆腐

熊掌豆腐又名家常豆腐，为四川省传统名菜。是选用石膏豆腐，配猪肉、青蒜苗，加川盐、酱油、郫县豆瓣、湿淀粉、姜片、蒜片等制成。含蛋白质、脂肪，维生素B_1、B_2、尼克酸，磷、钙、铁、钾等营养素。

烹调类型：经煎，烧烹制而成的家常味型热菜。

主料：豆腐500克。

配料：猪肉50克，青蒜苗25克。

调料：郫县豆瓣15克，混合油300克，姜、蒜各10克，肉汤200克，料酒10克，酱油10克，味精1克，湿淀粉15克，芝麻油10克。

制作要领：掌握好煎豆腐的火候，豆腐应煎成外金黄内嫩为宜。

制作工艺：将豆腐切成6厘米长、3厘米宽、0.6厘米厚的片；青蒜苗切成马耳朵形；肥瘦猪肉切成5厘米长、3.5厘米宽、2毫米厚的片；郫县豆瓣剁细。锅置中火上，下混合油，将豆腐逐片铺于锅内煎烙成浅黄色，再下混合油继续煎制并适时翻面，待豆腐两面成金黄色时铲起。锅内另下混合油烧至七成热（约 147℃），放入肉片炒散，加郫县豆瓣煵香上色，放姜片、蒜片炒香，掺肉汤，下豆腐、酱油炒匀，加料酒烧沸，用小火煨入味，再加蒜苗、味精，以湿淀粉勾二流芡推匀，收汁亮油，淋芝麻油起锅入盘即成。

成菜特点：色泽红亮，味道浓香，咸鲜微辣，汁稠味浓。

（十六）鲜花豆腐

鲜花豆腐为四川省创新筵席名菜。是选用嫩豆腐，配鸡脯肉、猪肥膘肉、豌豆苗、胡萝卜、大甜椒等，加川盐、味精、胡椒粉、清汤等调料制成。含有较高的蛋白质、脂肪，维生素 B_1、B_2、C、尼克酸和胡萝卜素，钙、磷、铁等营养素。且能发挥动植物蛋白质互补作用。

烹调类型：经蒸、煮烹制而成的咸鲜味型汤菜。

主料：嫩豆腐 500 克。

配料：肥膘肉 50 克，鸡脯肉 50 克，胡萝卜 30 克，大甜椒 20 克，香菌 15 克，豌豆苗 50 克。

调料：葱姜水 20 克，盐 3 克，鸡蛋清 25 克，清汤 500 克，胡椒粉 2 克，猪化油 30 克。

制作要领：要注意蝴蝶和花卉的造型，调味不宜咸。

制作工艺：豆腐揭去表皮后用箩筛制茸，用纱布搌干水分后置盆中；猪肥膘肉和鸡脯肉去筋膜捶茸，与豆腐同置一盆中，加葱姜水搅散后，再加盐和鸡蛋清制成糁。在扇形与蝶形模具上抹一层猪化油，分别制出 10 个扇形、2 个蝴蝶形的豆腐糁；将胡萝卜、大甜椒、香菌等片刻成不同花卉图案，分别嵌于豆腐糁上，上笼蒸熟备用。锅置旺火上，加清汤烧沸，加胡椒粉，放入豌豆苗烫熟，舀入汤盆内，将蒸好的豆腐糁滑入汤内即成。

成菜特点：造型美观，色彩协调，汤清澈，味鲜美，质细嫩。

（十七）灯影苕片

灯影苕片为四川省筵席名菜。是选用红薯，加川盐、明矾、白糖、花椒油、辣椒油、芝麻油、菜油等制成。含丰富的碳水化合物和一定量脂肪，B族维生素，以及钙、磷、铁等。

烹调类型：经炸、拌而成的麻辣味型冷菜。

主料：红薯500克。

调料：盐5克，辣椒油5克，花辣油5克，芝麻油10克，白糖10克，味精1克，菜油500克。

制作要领：切苕片时厚薄要均匀，不能过薄，否则油炸时易卷，食用口感差；炸制中油温不宜过高；因炸好的苕片极酥脆，拌调料时要小心，否则易破碎。

制作工艺：红薯洗净，削皮，片成大小均匀的薄片，放入加有盐和明矾的水中浸泡，约20分钟后，用清水漂洗干净，捞出沥干水分。锅置中火上，放油烧至七成热（约175℃），将苕片分次放入炸至呈棕红色酥脆时捞出，沥干油。将辣椒油、盐、花椒油、白糖、芝麻油、味精放入碗内调匀，与苕片拌匀盛盘即成。

成菜特点：色泽棕红，片薄透明，酥脆爽口，麻辣有味。

（十八）苕枣

苕枣为四川省名菜。是用红苕，加糯米粉、白糖、蜜玫瑰等制成。含有对人体具有特殊保护作用的“长寿因子”——

多糖蛋白质，是一种高碳水化合物的菜肴。

烹调类型：经蒸、炸烹制而成的香甜味型热菜。

主料：鲜红苕 500 克。

配料：糯米粉 100 克。

调料：菜油 500 克，细干豆粉 50 克，白糖 50 克，蜜玫瑰 20 克。

制作要领：炸制时要火力平稳，防止焦糊。

制作工艺：将新鲜红苕去皮，切片，用清水漂淘一次，入笼蒸熟，晾凉，擂成苕泥，加入糯米粉，搓成枣子形状，裹上细干豆粉，入四成热（约 100℃）油锅炸至金黄色入盘。将白糖、蜜玫瑰入锅溶化搅匀，挂二流芡，淋在炸好的苕枣上即成。

成菜特点：色泽金黄，外酥内软，香甜可口。

（十九）孔雀灵芝

孔雀灵芝为四川省创新名菜。是选用瓢儿白、香菇、配白萝卜、胡萝卜、金钩、枸杞，加鸡油、料酒、盐、清汤等制成。含蛋白质、脂肪、碳水化合物，胡萝卜素、B 族维生素，钙、磷、铁等营养素。

烹调类型：经蒸、煨烹制而成的咸鲜味型热菜。

主料：瓢儿白 500 克，香菇 50 克。

配料：金钩 25 克，枸杞 25 克，白萝卜 50 克，胡萝卜 25 克。

调料：清汤 500 克，料酒 10 克，姜 5 克，葱 5 克，盐 3 克，鸡油 1.5 克，胡椒粉 2 克，味精 1 克，水豆粉 15 克。

制作要领：瓢儿白要在入锅氽后，即用清水漂凉，以保持其翠绿；入锅煨时注意保持菜形；芡汁用清芡。

制作工艺：瓢儿白去掉老帮洗净，根茎部修成圆形，抽去筋，入沸水锅氽至断生捞起，放入清水中漂凉备用；香菇后洗净，放蒸碗中，加清汤、料酒、姜片、葱节、盐、鸡油、胡椒粉上笼蒸透，取出备用；金钩、枸杞洗净后，用清水泡涨；将白萝卜雕刻成孔雀头；胡萝卜雕刻成孔雀冠。炒锅洗净置火上，加清汤，下盐、味精，待沸后将孔雀“头”和“冠”入汤中氽一下，捞出摆于盘中；把准备好的瓢儿白入锅煨熟入味后，捞出摆于盘中构成孔雀羽形，并在其上间隔匀称地摆上金钩，每个金钩弯处摆上一粒枸杞，再将蒸好的香菇摆在孔雀一侧(堆叠呈灵芝状)，然后在锅内勾成鲜味芡汁，淋入鸡油，舀起浇于孔雀头身及灵芝上即成。

成菜特点：造型美观、逼真，菜碧绿，菇芳香，汁明澈，清淡爽口。

（二十）江津芝麻圆子

江津芝麻圆子为四川省传统名菜。是选用猪肥膘肉、黑芝麻、红糖、猪油、油酥糯米花、阴米、核桃仁、花生米、瓜片、桔饼、蜜枣、蜜桃、糖桂花、生鸡蛋、白糖等料精制而成。含有丰富的动物脂肪、碳水化合物以及多种矿物质等营养素，具有滋阴补肾之功效。

烹调类型：经蒸制而成的香甜味型热菜。

主料：黑芝麻 200 克。

配料：糯米花 500 克，肥膘肉 50 克，核桃仁 25 克，花生米 25 克，瓜片 50 克，蜜枣 50 克，生鸡蛋 50 克，阴米 100 克。

调料：白糖50克，糖桂花15克，红糖50克，猪油50克。

制作要领：要二次复蒸，使之软糯。

制作工艺：将黑芝麻炒熟碾细，放入锅内与熬好的红糖、猪油合成馅子。将肥膘肉剁茸，配上用清水淋湿的糯米花、核桃仁、花生米、瓜片、蜜枣等，调上生鸡蛋，拌制成皮子，包上馅心后滚成圆形，将圆子沾上一层用湿水泡软的阴米，放入蒸锅中蒸4—5分钟取出，待冷却后装入碗内，再入蒸锅中蒸7—10分钟，取出放盘中，撒上白糖、糖桂花即成。

成菜特点：色泽鲜美，香甜爽口，嫩而不烂，肥而不腻。

（二十一）水晶八宝饭

水晶八宝饭为四川省传统名菜。是选用糯米，加百合、苡仁、莲米、肥肉、马蹄等，加白糖制成。含有较丰富的碳水化合物、脂肪等营养物质，并具有清心安神、健脾补胃的功效。

烹调类型：经蒸制而成的香甜味型热菜。

主料：糯米500克。

配料：百合25克，苡仁25克，莲米50克，蜜樱桃50克，蜜瓜条50克，密桔饼25克，马蹄50克，猪肥肉50克。

调料：白糖100克。

制作要领：糯米要泡软，蒸制要用旺火复蒸，使之软糯。

制作工艺：百合、苡仁、莲米洗净，用水涨发后切成黄豆大的颗粒；蜜樱桃、蜜瓜条、蜜桔饼切成颗粒，马蹄去皮切成颗粒，猪肥肉煮熟切粒待用。上等糯米淘洗干净，用沸水煮至过心，滤出，放盆内，加上述配料及白糖拌和均匀，装入蒸碗内，上笼蒸到糯米软糯，取出反扣于盘中，食用时在饭上挂浓糖汁即成。

成菜特点：色泽美观，甜香软糯。

药膳类菜式

（一）双鞭壮阳汤

双鞭壮阳汤为四川省著名药膳。县选用牛鞭、狗肾、羊肉、菟丝子、肉苁蓉、枸杞、肥母鸡肉，加料酒、花椒、生姜、味精、猪油、盐等调料制成。富含蛋白质，具有温补肾阳的功效，对提高性机能和生殖功能有较好疗效。

烹调类型：经煨烹制而成的药香味型菜肴。

主料：牛鞭 100 克，狗肾 10 克。

配料：羊肉 100 克，鸡肉 50 克，菟丝子 10 克，肉苁蓉 6 克，枸杞 10 克。

调料：料酒 10 克，花椒 2 克，生姜 10 克，味精 1 克，猪油 20 克，盐 3 克。

制作要领：主配料干制品一定要涨发软，要小火煨至烂，使药入味。

制作工艺：牛鞭发胀，去尽表皮，顺尿道剖开，用清水洗净后，在冷水内漂半小时。狗肾用油沙炒泡，以温水浸泡约半小时，洗净。羊肉泡净入沸水锅内汆去血水，捞入凉水内漂洗。将狗肾、牛鞭、羊肉放入沙锅中烧开，打去浮沫，放入花椒、姜、料酒、母鸡肉，烧沸后，改用文火煨至肉熟。用洁净白纱布滤去汤中花椒等调料，将菟丝子、肉苁蓉、枸杞用纱布袋装好扎口，放入汤中同时煨炖；至牛鞭、狗肾酥烂时，捞出药包不用，取出牛鞭、羊肉切成3厘米长的条，狗肾切成1.5厘米长的节，鸡肉切块，装在碗内，加入原汤，放味精、盐和猪油调味即成。

成菜特点：肉质烩烂爽滑，汤汁鲜浓味醇，药香馥郁。

（二）十全大补汤

十全大补汤为四川省著名药膳。是选用党参、黄芪、肉桂、熟地、白术、川芎、当归、白芍、茯苓、甘草十味中药，配猪肉、猪肚、墨鱼、猪杂骨、鸡鸭爪翅、猪皮、加姜、葱、花椒、味精等调料制成。对肾阳虚衰，精血亏损，久病体虚，面色痿黄等症有较好疗效。但风寒感冒者禁服。

烹调类型：经炖烹制而成的药香味型菜肴。

主料：党参10克，炙黄芪10克，肉桂3克，熟地15克，炒白术10克，炒川芎6克，当归6克，酒白芍6克，茯苓6克，炙甘草6克。

配料：猪肉500克，猪肚50克，墨鱼50克，猪杂骨100克，鸡鸭爪翅100克，猪皮50克。

调料：生姜30克，葱10克，花椒2克，味精1克。

制作要领：要掌握火候，大火煮开，小火炖透，使药入味。

制作工艺：将党参等10味药物用纱布袋装好，扎口。将墨鱼用水发透，除尽骨膜。猪肉、猪肚、墨鱼、杂骨、鸡鸭爪翅、猪皮分别洗净；将棒子骨捶破，生姜拍松。将以上备好的药物和食物同时放入锅中，加适量清水，用武火煮沸，打净浮沫，移文火上炖约 2 小时，将猪肉、墨鱼、鸡鸭爪翅捞起，晾凉，切成片、丝、块，分别取各种食物混合装碗，注入药汤，加少许味精即成。

成菜特点：肉料软滑，汤汁粘浓，鲜香可口，有浓郁的药香味。

（三）鹿鞭壮阳汤

鹿鞭壮阳汤为四川省药膳。是选用鹿鞭、枸杞、山药等，配猪肘肉、肥母鸡，加料酒、胡椒粉、味精、花椒、食盐、姜、葱等调料制成。具有温补、壮阳、健脾的功效。对肾虚腰痛，阳痿早泄，子宫寒冷，久不受孕等症有较好疗效。是滋补肾阳的名贵药膳之一。

烹调类型：经炖烹制而成的鲜香味型菜肴。

主料：猪肘肉 500 克，肥母鸡 500 克。

配料：鹿鞭 2 条，枸杞 15 克，山药 200 克。

调料：料酒 30 克，胡椒粉 2 克，味精 1 克，花椒 3 克，盐 3 克，姜 35 克，葱 30 克。

制作要领：鹿鞭要发透、软，要旺火煮开，小火炖酥烂，使药入味。

制作工艺：鹿鞭用温水发透，刮去粗皮杂质，剖开，洗净后切成 3 厘米长的段。母鸡肉切成条块，猪肘洗净，山药润软后切成 2 厘米厚的瓜子片。枸杞去杂质待用。锅内倒入清水，放入姜、葱、料酒和鹿鞭，用武火煮 15 分钟，捞出鹿鞭，原汤暂不用，如此 3 次。用砂锅置火上，加入适量清水，放入猪肘、鸡块、鹿鞭，用武火烧开，除去浮沫，加入料酒、葱、姜、花椒用文火炖一个半小时，除去姜葱，将猪肘肉捞出作它用。将山药、枸杞、食盐、胡椒粉、味精放入锅中，改用武火炖至山药酥烂。用碗一个，先捞出山药铺底，上盛鸡肉块、鹿鞭、枸杞，随后倒入原汤即成。

成菜特点：肉料软烂，汤汁浓酽，鲜香味美，滋补佳品。

（四）扁鹊调养汤

扁鹊调养汤又名八宝鸡汤，为四川省药膳。是选用肥鸡、猪瘦肉、杂骨、配党参、茯苓、白术、甘草、熟地、白芍、当归、川芎，加葱、姜、盐等制成。具有气血双补之功效，对气血两虚、面色痿黄、食欲不振、四肢乏力等症有显著疗效。

烹调类型：经炖烹制而成的鲜味型菜肴。

主料：肥鸡一只（约1000克），猪瘦肉1500克，杂骨1000克。

配料：党参10克，茯苓10克，炒白术10克，炙甘草5克，熟地15克，白芍10克，当归15克，川芎7克。

调料：葱100克，姜100克，盐3克。

制作要领：要用旺火煮开，小火炖使药入味，口味要淡。

制作工艺：将药物装入纱布袋内，扎紧袋口；鸡宰杀后去毛、内脏，洗净；杂骨砸碎，生姜洗净拍破，葱洗净扎成小把。将猪肉、鸡肉和药袋、杂骨放入锅中，用武火烧开，打去浮沫，加入生姜、葱，用文火将鸡炖熟。食用时，捞出药包、姜、葱不用；把鸡肉切块，猪肉切条，置于盆中，盛上药汤，加少许食盐即成。

成菜特点：肉质酥烂，滑润利口，汤汁清鲜。

（五）乌发汤

乌发汤为四川省药膳。选用羊肉、羊头、羊骨，配中药熟地黄、淮山药、丹皮、枣皮、泽泻、何首乌、当归、红花、菟丝子、天麻、侧柏叶，及黑豆、黑芝麻、胡桃肉，加味精、食盐等制成。具有滋补肝肾、补养气血、乌须黑发的功效，适用于脱发、须发早白等症。

烹调类型：经炖烹制而成的鲜咸味型菜肴。

主料：羊肉1000克，羊头一只，羊骨1000克。

配料：熟地黄30克，淮山药30克，丹皮15克，枣皮15克，泽泻15克，何首乌50克，当归6克，红花6克，菟丝子230克，天麻15克，侧伯叶10克，黑豆60克，黑芝麻50克，胡桃肉50克。

调料：味精5克，盐10克，姜50克，葱白50克，胡椒15克。

制作要领：炖制时只入药，不要放盐，吃时再调味。

制作工艺：将中药及黑豆、黑芝麻、胡桃肉等用纱布袋装好，扎口；将羊肉、羊头（打破）、羊骨用清水洗净；羊肉剔去筋膜，入沸水锅内汆去血水，同羊头、羊骨、药物袋同时下锅，加入清水，放入生姜、葱白、胡椒，先用武火将汤烧开，打去浮沫，捞出羊肉切片，再放入锅中，用文火炖1小时30分钟，待羊肉酥烂即成。药袋捞出不用。以上药物可分作100份食用。吃时可加味精、食盐调味。

成菜特点：羊肉酥烂，爽滑利口，汤汁香醇。

（六）雪花鸡汤

雪花鸡汤为四川省药膳。是选用鸡肉，配雪莲花、党参、峨参、薏苡仁、加姜、葱、食盐等调料制成。具有祛寒壮阳、补中益气、消水肿、化痹湿的功效。适用于腰膝酸软、体弱乏力，风湿关节炎、阳萎、妇女月经不调等症。

烹调类型：经煮烹制而成的鲜味型菜肴。

主料：鸡肉500克。

配料：雪莲花15克，党参75克，峨参7克，薏苡仁500克。

调料：姜50克，葱50克，食盐3克。

制作要领：要掌握火候，旺火煮开，小火炖，炖时勿加盐，吃时调味。

制作工艺：将党参、雪莲花切成约4厘米长的节，峨参切成片，用纱布袋装好，扎紧口。薏苡仁用清水淘洗后另用纱布袋装好扎口。鸡宰杀后，去毛、剖腹洗净，同包好的药袋一同下锅。姜、葱洗净切段，放入锅中，先用武火将汤烧沸。改用文火烧2至3小时，捞出鸡肉，切成方块，放入碗中，将煮熟的薏苡仁捞出，倒入碗中，调味食用。

成菜特点：鸡肉软烂，薏仁软糯，润滑利口，汤鲜味酽。

（七）仲景羊肉汤

仲景羊肉汤为四川省药膳，又名当归生姜羊肉汤。是选用羊肉，配当归、生姜，加胡椒粉、葱、料酒、盐等调料制成。具有补虚劳、暖腰肾的功效，对形瘦怕冷，病后虚寒，面黄憔悴，久病体弱者有较好的疗效。但外感、水肿等热性病患者禁食。

烹调类型：经炖烹制而成的咸鲜味型菜肴。

主料：羊肉500克。

配料：生姜250克，当归150克。

调料：胡椒面3克，葱50克，料酒20克，盐3克。

制作要领：要用旺火煮沸，小火煨炖，食用时再调味。

制作工艺：当归、生姜用清水洗净，切成大片；羊肉去骨，剔去筋膜，入沸水氽去血水，捞出晾凉，切成5厘米长、2厘米宽、1厘米厚的条。砂锅中掺入清水适量，将切好的羊肉、当归、生姜放入锅内，旺火烧沸后，打去浮沫，改用文火炖1小时，羊肉熟透即成。

成菜特点：羊肉炬烂，汤汁清鲜。

（八）玄宗鹿肾长龟汤

玄宗鹿肾长龟汤为四川省药膳。相传是安禄山献给唐玄宗的秘方。是选用鸡肉、羊肉、白马鞭、鹿鞭、牛鞭、黄狗鞭、龟肉，配海马、菟丝子、大芸、枸杞、附片、鹿茸、枣皮、熟地、虎骨、加花椒、姜、料酒、味精、盐、猪油等调料制成。具有温补、壮阳、健脾之功效。对肾虚腰痛、阳痿早泄、子宫寒冷、久不受孕有较好疗效。是滋补肾阳的名贵药膳之一。

烹调类型：经煨炖烹制而成鲜香味型菜肴。

主料：白马鞭50克，鹿鞭50克，牛鞭50克，黄狗鞭50克，龟肉250克，鸡肉250克，羊肉250克。

配料：海马15克，菟丝子30克，大芸30克，枸杞15克，附片6克，鹿茸3克，枣皮15克，熟地30克，虎骨15克。

调料：花椒3克，姜20克，料酒20克，味精1克，盐5克，猪油30克。

制作要领：四鞭要泡软，小火炖制时要按时翻动以防粘锅。

制作工艺：将白马鞭、鹿鞭、牛鞭发胀，去尽表皮，剖开用清水洗净，再以冷水漂半小时；狗鞭用油发炒泡，用温水浸泡约半小时，刷洗干净；羊肉、鸡肉、龟肉洗净后入沸水锅内汆去血水。捞入凉水漂洗。以上药物、肉类共置锅中烧开，撇去浮沫，放入花椒、姜、料酒，烧开后改用文火，每隔半小时翻动一下。炖至六成熟时，用纱布滤去汤中花椒、姜，再置火上。将菟丝子、大芸、枸杞、熟地、附片等用纱布袋装好扎口，放入汤中同时煨炖，至四鞭酥烂时，取出鹿鞭、马鞭、狗鞭、牛鞭，切成半寸长的节；鸡肉、龟肉、羊肉切成条。把切的肉装碗，加原汤、味精、盐、猪油调味即成。

成菜特点：肉料软烂润滑，汤汁清鲜味浓，选料上乘多样，四鞭三肉合谐。

（九）燕窝汤

燕窝汤为四川省著名药膳。是用燕窝与冰糖烹制而成的名贵滋补品。具有养阴润燥、益气补中的功效，对虚损劳疾、咳嗽痰喘、咯血吐血等有较好疗效。

烹调类型：经煮烹制而成的甜味型菜肴。

主料：燕窝 25 克。

配料：冰糖 30 克。

制作要领：燕窝要泡软去净毛，先炖化冰糖，后再放燕窝，使成菜蜜甜软滑。

制作工艺：取燕窝放入盅内，用 50℃温水浸泡至燕窝松软时，用镊子择去燕毛，捞出用清水洗净，沥干水分，撕成细条，放入碗中。用无油的干净锅加入清水 250 克，放入冰糖，置文火上烧开溶化，撇去浮沫，用纱布滤去杂质，倒入锅中，加入燕窝，加热至沸后装碗即成。

成菜特点：燕窝洁白，软烂滑润，汤汁蜜甜，清爽利口。

（十）马武车前汤

马武车前汤为四川省药膳。是用车前草与蜂蜜制成的。具有利水清热、明目去痰的功效。对淋浊、带下、尿血、黄疸、水肿、热痢、鼻血、目赤肿痛、喉痹乳蛾、咳嗽等症有较好疗效。

烹调类型：经熬制的甜味型菜肴。

主料：车前草150克。

配料：蜂蜜30克。

制作要领：要先泡去尘污，后再用小火熬制。

制作工艺：将车前草洗净，放入铝锅内，加水适量，反复煎熬三次，取三次汁液合并，加入蜂蜜搅拌，装入茶壶内当茶饮用。

成菜特点：汤甜清爽，蜜而不腻。

（十一）白娘子还魂汤

白娘子还魂汤为四川省药膳。是用灵芝与鸡烹制而成的药膳。具有安神、益精气之功效。据研究，灵芝具有保肝、降血糖、调节植物神经功能，降低胆固醇，升高白血球，提高机体抵抗力的作用。

烹调类型：是经煨制的清鲜味型菜肴。

主料：母鸡一只（约1000克）。

配料：灵芝草15克。

调料：料酒20克，葱15克，姜15克，食盐3克，胡椒粉2克。

制作要领：灵芝草要泡软后入鸡腹，旺火烧沸，小火煨炖。

制作工艺：将鸡宰杀后，去毛和内脏，洗净。将灵芝草洗净，切成薄片，装入鸡腹内，置铝锅中，加水适量，放入葱、姜、料酒、食盐，用武火烧沸，再改用文火煨炖，直至鸡肉酥烂即成。

成菜特点：鸡肉酥烂可口，汤汁清鲜味淡。

（十三）山楂肉干

山楂肉干为四川省药膳。是选用山楂、猪瘦肉，加菜油、香油、姜、葱、花椒、料酒、酱油、味精、白糖等调料烹制而成的。具有滋阴润燥，化食消积，降低血脂之功效。特别适宜患脾虚食滞、高血压、高脂肪等症的中老年人食用。

烹调类型：经煮、炸、焙烹制而成的甜酸味型菜肴。

主料：猪瘦肉 1000 克。

配料：山楂 100 克。

调料：菜油 250 克，香油 15 克，姜 15 克，葱 25 克，花椒 3 克，料酒 20 克，酱油 10 克，味精 1 克，白糖 25 克。

制作要领：猪肉要先煮后腌，入味后再炸；山楂要先炸后和肉片一起焙干，使之干酥。

制作方法：将猪瘦肉去筋，洗净；山楂去杂质洗净，拍破；姜葱洗净，切成姜片、葱节。用 50 克山楂加水适量，在火上烧沸后，下猪瘦肉共煮至六成熟，捞出肉晾凉后切成 5 厘米长的粗条。用酱油、姜、葱、料酒、花椒将肉条拌匀腌约 1 小时，沥去水分。锅置火上，将油烧热，投入肉条炸熟，呈黄色捞起，沥去油。将余下的 50 克山楂略炸后，再将肉干倒入锅内，反复翻炒，微火焙干，放入香油、味精、白糖和匀起锅装盘即成。

成菜特点：肉干黄亮，甘香酥脆，略带酸味。

（十三）丁香鸭（鹅）

丁香鸭为四川省药膳。是选用丁香与鸭、肉桂皮、草蔻，加生姜、葱、盐、冰糖、香油等调料烹制而成。具有温中和胃、暖肾助阳的功效。对脾胃虚弱，胃腹冷痛及虚劳骨蒸、咳嗽水肿等有较好疗效。

烹调类型：经煮、卤烹制而成的甜咸味型菜肴。

主料：鸭子一只（约1000克）。

配料：丁香5克，肉桂皮5克，草蔻5克。

调料：生姜15克，葱20克，盐3克，卤汁500克，冰糖30克，味精1克，香油25克。

制作要领：要先将药熬汁，而后用药汁小火煨透。制卤时要防止粘锅焦糊。

制作工艺：将鸭宰杀后，去毛和内脏，洗净。丁香、肉桂、草蔻用水煎熬两次，每次水沸后20分钟即可滗去药汁；取两次药汁合并倒入锅内；姜葱洗净拍破，同鸭子一起放锅中，鸭子淹没在药汁中，用文火煮至六成熟，捞起稍凉，再放入卤汁锅内，用文火卤熟后捞出。取适量卤汁放入锅内，加盐、冰糖、味精拌匀，放入鸭子，在文火上边滚边浇卤汁，直到卤汁均匀地粘在鸭子上、色泽红亮时取出，抹上香油，切块装盘即成。

成菜特点：色泽红亮，肉质软嫩，鲜香可口。

（十四）果仁排骨

果仁排骨为四川省药膳。是选用果仁、苡仁、排骨，加姜、葱、冰糖、花椒、料酒、香油、味精、盐、卤汁等烹制而成。具有健脾燥湿，行气止痛，消食平胃的功效。对脾胃虚湿重、气郁等症有较好疗效。

烹调类型：经煮、卤、收烹制而成的甜咸味型菜肴。

主料：排骨 2500 克。

配料：炒果仁 10 克，炒苡仁 50 克，姜 50 克，葱 50 克，冰糖 50 克。

调料：花椒 3 克，料酒 20 克，香油 15 克，味精 1 克，盐 3 克，卤汁 500 克。

制作要领：煮药汁要注意加水量，卤汁要用小火收汁，排骨要拌匀卤汁。

制作工艺：将炒果仁、苡仁捣碎，用水煎煮两次，收取汁液 500 毫升。将猪排骨洗净、拍破，同花椒一起下锅，煮至排骨达六成熟时，打净浮沫，捞出排骨放入卤锅中卤至熟透。取适量卤汁倒入锅中，加冰糖、味精、盐在文火上收成浓汁，烹入料酒后，均匀抹在排骨上，再抹上香油即成。

成菜特点：排骨红亮，肉质酥烂，甜咸适口。

（十五）石斛花生米

石斛花生米为四川省药膳。是选用花生米与中药石斛，加盐、八角、山奈等调料制成。具有养阴润肺，清热生津之功效。

烹调类型：经煮烹制而成的咸香味型菜肴。

主料：花生米 250 克。

配料：石斛 25 克。

调料：盐 3 克，八角 1.5 克，山奈 1.5 克。

制作工艺：将石斛洗净，切成约1厘米长的节；花生米除去霉烂颗粒，洗净沥干。锅内注入适量清水，放入盐、香料，待盐溶化后，倒入花生米，同时将石斛入锅，置武火上烧沸后，移至文火煮约1小时，待花生米熟透装盘即成。

成菜特点：花生酥烂，咸鲜适口。

（十六）陈皮油烫鸡

陈皮油烫鸡为四川省药膳。是选用嫩公鸡与中药陈皮，加菜油，生姜、葱、花椒、香油、盐、味精、冰糖、卤汁等调料制成。具有温中益气，燥湿健胃的功效。对胸腹胀满、不思饮食、呕吐反胃等症有较好疗效。

烹调类型：经煮、卤、炸烹制而成的桔香味型菜肴。

主料：嫩公鸡一只（约1000克）。

配料：陈皮15克。

调料：生姜10克，葱10克，菜油1000克，花椒3克，香油15克，盐3克，味精1克，冰糖25克，卤汁500克。

制作要领：炸鸡时要先放陈皮后放鸡，并用热油淋炸，勿直接炸制。

制作工艺：鸡宰杀后去毛和内脏，洗净；陈皮切碎，姜葱洗净拍破。锅内注入适量清水，下入一半陈皮及姜葱、花椒、盐，同鸡一起煮，煮至鸡六成熟时，捞起晾凉。再将鸡放入卤汁锅内，用文火卤至鸡熟捞起。另用锅加入少许卤汁，下入冰糖、盐、味精，收成汁抹在鸡的表皮上。锅置火上，倒入菜油，油沸离火，待油温降至八成热（约200℃）时，先将余下的陈皮下锅炸酥，再将鸡置油锅上提起，往鸡身上反复浇热油，待鸡皮烫至色泽红亮时晾凉，抹上香油，切好装盘即成。

成菜特点：色泽红亮，皮脆肉酥，鲜咸可口，桔香馥郁。

（十七）玉竹心子

玉竹心子为四川省药膳。是用中药玉竹与猪心，加生姜、葱、盐、花椒、白糖、味精、香油、卤汁等调料制成。具有安神守心，养阴生津之功效。对热病伤阳的频咳烦渴、心血不足的惊悸怔忡、心烦不眠等症有较好疗效。

烹调类型：经煮、卤烹制而成的卤味型菜肴。

主料：猪心 100 克。

配料：玉竹 15 克。

调料：生姜 10 克，葱 10 克，盐 2 克，花椒 2 克，白糖 20 克，味精 1 克，香油 10 克，卤汁 250 克。

制作要领：要用药液煮心，熬卤汁要用小火，防止卤汁粘锅焦糊。

制作工艺：玉竹拣去杂质，切成 2 厘米长的节，用水煎熬二次，收取汁液；姜葱洗净，分别切成片、节。将猪心剖开洗净血水，与玉竹药液、姜、葱、花椒一同入锅。猪心煮至六成熟，捞起稍冷，放入卤汁锅，用文火煮熟捞起。取适量卤汁，加入白糖、盐、味精、香油加热收成浓汁，均匀地抹在猪心上，切配装盘即成。

成菜特点：色泽红亮，肉质酥嫩，卤香味酽。

（十八）炒香舌片

炒香舌片为四川省药膳。是选用酸枣仁和猪舌头，加姜、葱、花椒、料酒、卤汁、香油、味精、盐、冰糖等调料烹制而成。具有养肝宁心，安神止汗之功效。对神经衰弱病人有治疗作用。

烹调类型：经煮、卤烹制而成的甜酸味型菜肴。

主料：猪舌 500 克。

配料：酸枣仁 50 克。

调料：姜 10 克，葱 15 克，花椒 3 克，料酒 15 克，卤汁 450 克，香油 10 克，味精 1 克，盐 3 克，冰糖 25 克。

制作要领：药液加水量要适中，卤汁要用小火收浓，猪舌卤料要抹匀。

制作工艺：将酸枣仁（生熟均可）捣碎，用水煮两次，收取药汁 700 毫升；将猪舌洗净，切成两段，放入药汁中；把姜葱洗净拍破，与花椒一起下锅同猪舌同煮。煮至舌头七成熟时，打去浮沫，取出猪舌稍晾。将卤汁倒入锅中，文火烧沸，再将猪舌放入卤锅中卤至熟透捞起。取适量卤汁倒入锅中，加冰糖、味精、盐在文火上收成浓汁，加料酒，均匀地抹在猪舌上，再抹上香油，切片装盘即成。

成菜特点：色泽红润，肉质酥烂，甜酸适口。

（十九）砂仁肚条

砂仁肚条为四川省药膳。是用中药砂仁与猪肚，加猪油、胡椒粉、花椒、姜、葱白、盐、料酒、味精、水豆粉等调料制成。具有行气止痛，化湿醒脾的功效。对脾胃虚弱的中老年人疗效显著。

烹调类型：经煮烹制而成的鲜香味型菜肴。

主料：猪肚 100 克。

配料：砂仁米 10 克。

调料：猪油 100 克，胡椒粉 3 克，花椒 2 克，姜 10 克，葱白 10 克，盐 3 克，料酒 15 克，味精 1 克，豆粉 15 克，清汤 500 克。

制作要领：猪肚要氽透，以去腥臭，砂仁要待后加入汤中与猪肚同煮。

制作工艺：将猪肚洗净，下沸水锅氽透捞出，刮去内膜。另锅中掺入清汤，放入猪肚，再下生姜、葱白、花椒，煮至熟，打去浮沫，起锅切成条状。再用原汤 500 克烧沸，放入切好的肚条及砂仁米搅拌，加入猪油和味精，用水豆粉勾芡，炒匀即成。

成菜特点：肚仁脆烂，汤汁浓稠，鲜香可口。

（二十）荷叶凤脯

荷味凤脯为四川省药膳。是选用鲜荷叶与鸡脯肉，配水蘑菇、火腿，加盐、白糖、味精、香油、鸡油、料酒、胡椒粉、水豆粉、姜、葱等调料制成。具有补益强身、解暑利湿的功效。

烹调类型：经蒸烹制而成的清香味型菜肴。

主料：鸡脯肉 500 克。

配料：蘑菇 100 克，火腿 50 克，鲜荷叶 4 张。

调料：盐 3 克，白糖 30 克，味精 1 克，香油 10 克，鸡油 10 克，料酒 10 克，胡椒面 2 克，豆粉 15 克，姜 10 克，葱 10 克。

制作要领：荷叶要选新鲜叶，成菜才清香。

制作工艺：把鸡脯肉、蘑菇切成片，火腿切 20 片，姜切片，葱切花；荷叶洗净用开水稍烫一下，去掉蒂梗，切成 20 块三角形。蘑菇用沸水氽透捞出，用凉水冲凉，把鸡肉、蘑菇一起放入盘内加盐、味精、白糖、胡椒面、料酒、香油、鸡油、豆粉、姜片、葱花搅拌均匀，然后，把鸡肉、蘑菇分放在20片荷叶上，加上一片火腿，包成长方形，码盘上笼蒸2小时，出笼即成。

成菜特点：肉质鲜嫩，清香适口。

（二十一）芝麻兔

芝麻兔为四川省药膳。是用芝麻、兔肉，加生姜、葱、花椒、香油、味精、卤汁等调料制成。具有补血润燥，补中益气之功效。对肝肾不足、须发早白、便秘等症有疗效。有益于人体发育与老年人延年益寿。

烹调类型：经煮、卤烹制而成的麻香味型菜肴。

主料：兔一只（约1000克）。

配料：黑芝麻30克。

调料：生姜10克，葱10克，花椒2克，香油15克，味精1克，卤汁500克，盐3克。

制作要领：芝麻要淘净泥沙，兔肉要先煮断生，后小火卤制。

制作工艺：将黑芝麻淘洗干净，炒香。兔宰杀后去皮、爪，掏去内脏洗净，放入锅内，加水适量，烧沸打去浮沫，放入姜片、葱节、花椒、盐，将兔煮至七成熟，捞出稍凉，再放入卤水锅在火上卤1小时左右，捞出晾凉，切配装盘。将味精、香油调匀，淋入盘内，撒上黑芝麻，拌匀即成。

成菜特点：兔肉褐红，芝麻黑亮，肉质软烂，麻香味浓。

（二十二）清水白菜

清水白菜为四川省药膳。是用白菜和虾仁，加菜油、葱、盐、味精、胡椒粉、水豆粉等调料制成。具有通胀利胃，除胸中烦，解毒醒酒之功效。

烹调类型：经炒烹制而成的鲜味型菜肴。

主料：白菜 300 克。

配料：虾仁 30 克。

调料：菜油 30 克，葱 5 克，盐 2 克，味精 0.5 克，胡椒粉 1 克，豆粉 10 克。

制作要领：白菜要先汆后炒，炒时要先炒虾仁再入白菜，以使虾味浓郁。

制作工艺：将鲜白菜洗净，放入沸水中汆一下，立即捞起，晾冷，切成 3 厘米长的节。虾仁洗净。将炒勺置武火烧热，加入菜油烧热，下虾仁炒黄，将白菜放入，加盐、葱稍煮，再加入和匀的味精、胡椒粉、水豆粉，翻炒几下，起锅装盘即成。

成菜特点：白菜脆嫩，虾仁酥烂，鲜香味酽。

（二十三）萝卜炖羊肉

萝卜炖羊肉为四川省药膳。是选用萝卜、羊肉及陈皮，加料酒、葱、姜、盐、味精等调料制成。具有消痰止咳，温中益气之功效。

烹调类型：经炖烹制而成的清香味型菜肴。

主料：羊肉 500 克，萝卜 1000 克。

配料：陈皮 10 克。

调料：料酒 15 克，葱 20 克，姜 15 克，盐 3 克，味精 1 克。

制作要领：萝卜要先焯水去辣味，羊肉炖至断生后再加入萝卜，防止萝卜过于软烂。

制作工艺：将萝卜洗净，去皮切成块状；羊肉洗净切成条或块；陈皮洗净，姜洗净拍破，葱洗净切成节。把羊肉、陈皮放入锅内用武火烧开，打去浮沫，改用文火煮半小时，再加入萝卜、姜、葱、料酒、盐，炖至萝卜熟透，加味精，装碗即成。

成菜特点：肉质淡雅，烂烂鲜香；萝卜软烂，清香味淡。

（二十四）大蒜马齿苋

大蒜马齿苋为四川省药膳。是选用马齿苋、大蒜，加盐、葱、醋、味精等调料制成。具有清热解毒，利水去湿之功效。对慢性痢疾、癌症患者有疗效。

烹调类型：经拌烹制而成的蒜香味型菜肴。

主料：马齿苋 500 克。

配料：大蒜 30 克。

调料：盐 3 克，葱 10 克，醋 5 克，味精 1 克。

制作要领：马齿苋要盐腌挤汁去苦涩味，拌制要突出蒜香。

制作工艺：将马齿苋淘洗干净，切成 3 厘米长的节，放入盆中加盐，用手搓揉待用。大蒜洗净切成片。用手将马齿苋挤干水分，放入大蒜、醋、味精、葱拌匀即成。

成菜特点：齿苋脆嫩，蒜香浓郁，略带酸味。

（二十五）乾坤蒸狗

乾坤蒸狗为四川省药膳。是用中药天冬、生地黄、枸杞、甘草、柠檬与狗肉、母鸡、肘子、猪瘦肉，加葱、姜、料酒、胡椒面、味精、豆瓣、香油等调料制成。具有补中益气、温肾助阳之功效。对脾肾气虚、胸腹胀满、腰膝软弱等症有明显疗效。

烹调类型：经煮蒸烹制而成的鲜香味型菜肴。

主料：去骨连皮狗肉2000克，母鸡一只（约1000克），猪瘦肉500克，肘子500克。

配料：天冬10克，生地10克，枸杞15克，甘草3克，柠檬25克。

调料：葱25克，料酒20克，胡椒面3克，味精1克，香油20克，豆瓣50克。

制作要领：狗肉要先氽去腥臭味，蒸制要用棉纸封住口，防止香味外溢。

制作工艺：将狗肉皮在火上燎黄，用水泡软，刮洗后用凉水浸泡，待肉质发胀时，用木棒在肉上轻轻反复捶敲，边捶边洗至血水排尽肉质松软，将狗肉切条，用凉水泡上。将天冬、生地、枸杞、甘草、柠檬洗净；鸡剔下胸脯肉，余下的鸡肉和肘子各改成八块，姜切片，葱切节，鸡肉和肘子用姜、葱水泡上。把瘦猪肉和鸡脯肉分别用刀背剁茸，分别用姜、葱水泡上。锅置火上，放入清水，烧沸后放入一段柏木去臊气，再放狗肉、葱姜、料酒、用中火煮透，将狗肉捞出冲洗漂凉。鸡肉、肘子用沸水氽透。锅内掺入清水，放鸡肉、肘子、葱姜，用武火烧沸，打净浮沫，移文火煮至肉熟时，下入狗肉、枸杞。将天冬、生地、甘草用纱布包好，连同狗肉等一起放入蠱子内。把汤烧沸，下胡椒粉、料酒，冲入猪肉茸，待肉茸凝结时捞出肉末，将清好的汤滗入蠱子内，用湿棉纸封口，上笼蒸至肉烂取出。捞出药包不用，将汤滗入锅肉烧沸，冲入鸡茸，用同样方法清好汤，加盐、味精调好味，倒入狗肉蕌子内，加盖封严，覆笼大气蒸。将柠檬去皮、去瓤切成细丝，分成两碟；豆瓣用油酥香，分成两碟，与蒸好的狗肉同时上桌。

成菜特点：肉质炬烂，软滑利口，汤汁清鲜，浓厚味醇。

（二十六）首乌肝片

首乌肝片为四川省著名药膳。是用中药何首乌与猪肝、水发木耳、青菜叶，加料酒、醋、盐、蒜、水豆粉、酱油、葱、姜、汤、混合油等调料制成。具有补肝益肾，养血祛风之功效。对肝肾阴亏、发须早白、血虚头晕、腰膝酸软及慢性肝炎等有较好疗效。

烹调类型：经炒烹制而成的鲜香味型菜肴。

主料：何首乌 15 克，水发木耳 25 克，青菜叶 50 克。

调料：料酒 10 克，醋 5 克，盐 3 克，蒜 10 克，豆粉 25 克，酱油 10 克，葱 10 克，姜 10 克，汤 50 克，混合油 500 克。

制作要领：猪肝要切薄片，要将药液拌入，炒制时要锅热，油热，快速翻炒，其肝片才鲜嫩。

制作工艺：将首乌洗净置锅内，加水适量煎熬，取药汁三次，合并药液待用。将猪肝洗净剔去筋膜，切成薄片；姜、蒜、葱洗净，葱切丝、姜切粒、蒜切片，青菜叶淘洗干净。将肝片加入一些首乌药液、盐、水豆粉拌匀；另把首乌汁、酱油、料酒、醋、水豆粉加汤兑成汁。炒锅置武火上，加入油烧至五成热（约 100℃），放入拌好的猪肝片，滑透，用漏勺沥去油；锅内剩底油 50 克，放姜米、蒜片炒香后，将肝片、青菜叶放入翻炒，勾汁炒匀，淋少许明油起锅即成。

成菜特点：肝片紫红，青菜碧绿，色彩和谐，肝质酥烂，鲜香味美。

（二十七）银杏蒸鸭

银杏蒸鸭为四川省著名药膳。是选用银杏与鸭，加熟猪油、胡椒、料酒、鸡油、清汤、姜、葱、食盐、花椒、味精等调料制成。具有滋阴养胃，利水消肿，敛肺水，定喘咳之功效。适用于骨蒸劳热、咳嗽水肿、白滞、白浊、哮喘病等症。

烹调类型：经蒸烹制而成的鲜味型菜肴。

主料：鸭一只（约 1000 克）。

配料：银杏 200 克。

调料：熟猪油 500 克，胡椒 2 克，料酒 15 克，鸡油 10 克，清汤 200 克，姜 10 克，葱 10 克，食盐 3 克，花椒 2 克，味精 1 克，汤 150 克，豆粉 15 克。

制作要领：银杏要去心焯水，去苦味，鸭子蒸时要用旺火，一气呵成。

制作工艺：银杏捶破去壳，在开水内煮熟，斯去皮膜，切去两头，除去心，再用开水焯去苦水，在猪油锅内炸一下，捞出待用。将鸭洗净，宰去头脚，用盐、胡椒粉、料酒抹匀入盆，加入姜葱、花椒，上笼蒸约 1 小时取出。拣去姜葱、花椒，用刀从背脊骨剁开，去净骨头，盛入碗内，齐碗口修圆。将剩下的鸭肉切成丁，与银杏混合放于鸡脯上，将原汁倒入，加上汤，笼蒸约半小时至鸭肉炽烂，出笼翻入盘内。锅内掺清汤，加鸡油、料酒、盐、味精、胡椒粉、水豆粉、勾芡，放猪油，挂白汁于鸭肉上即成。

成菜特点：鸭肉色白油润，肉质酥烂鲜香。

（二十八）香酥山药

香酥山药为四川省药膳。是选中药山药，加白糖、豆粉、菜油、醋、味精等调料制成。具有健脾胃，补肺肾之功效。对脾虚泄泻、虚劳咳嗽、遗精、小便频数等症有较好疗效。

烹调类型：经炸、烧烹制而成的甜味型热菜。

主料：山药500克。

调料：白糖125克，豆粉100克，菜油750克，醋30克，味精1克。

制作要领：山药要蒸透，炸黄，烧糯，使之酥软。

制作工艺：将鲜山药洗净，上笼蒸熟后取出去皮，切成3厘米长的段，再一剖两片，用刀拍扁。锅烧热后倒入菜油，待油烧至七成热（约175℃）时，投入山药，炸至发黄时捞出。另烧热锅放入炸好的山药，加入糖和两勺水，用文火烧3～6分钟后即用武火，加醋、味精，用水豆粉勾芡，淋上熟油起锅装盘即成。

成菜特点：山药酥烂，软糯香甜。

（二十九）栗杏焖鸡

栗杏焖鸡为四川省药膳。是用栗子、杏仁、核桃仁、红枣、肥母鸡，加姜、葱、蒜、料酒、味精、食盐、芝麻酱、白糖、猪油、麻油、水豆粉等调料制成。具有温中益气，补精添髓之功效。对胃虚食少、气血津液不足等症有较好疗效。

烹调类型：经焖烹制而成的甜咸味型菜肴

主料：肥母鸡一只（约1500克），栗子200克。

配料：杏仁10克，核桃仁20克，红枣5枚。

调料：姜10克，葱10克，蒜10克，料酒10克，味精1克，食盐3克，芝麻酱25克，白糖25克，猪油75克，麻油25克，豆粉15克，菜油100克。

制作要领：杏仁、核桃仁要去净内衣，防止涩苦。焖制时要先用油煸，小火焖粑。

制作工艺：用刀把栗子切成两半，放入开火锅中煮至壳、衣可以剥掉时，捞出，去壳、去衣。将杏仁、桃仁放入碗内，用开水烫后去皮，捞出沥干。将桃仁、杏仁放入四成热油锅中炸制，用漏勺上下翻动，炸至呈金黄色，捞在盘中摊开，待冷脆后用木棒压成细末。鸡宰杀去毛，除内脏，洗净，剁成3厘米大小的方块。炒锅烧热后加入猪油25克，在武火上烧至六成热（约132℃），倒入鸡块，煸至皮呈黄色，随即加入料酒、姜丝、白糖、酱油，烧至上色，再加汤、红枣、核桃仁烧沸，改用文火焖1小时，倒入栗子再焖15分钟，焖至鸡块酥烂时改用武火，在锅内滚上浓卤汁，用漏勺把鸡块捞出，皮朝下扣放在碗中码齐，栗子盖在鸡块上面，翻入盘中。将装有卤汁的锅置武火上烧开，放入芝麻酱拌匀，淋少许水豆粉勾成薄芡，加入熟猪油50克，再放入香油，出锅浇于鸡块上面，洒上杏仁粉即成。

成菜特点：鸡肉粑烂鲜咸，栗枣酥烂软糯，鲜咸爽滑。

（三十）参麦团鱼

参麦团鱼为四川省著名药膳。是用人参、茯苓、浮麦等中药和团鱼（鳖）、鸡蛋，加姜、葱、食盐、料酒、味精、鸡汤、生板油等调料制成。具有滋阴补血，益气健脾的功效。对骨蒸痨热、盗汗自汗等症有特效。

烹调类型：经煮、蒸烹制而成的鲜味型菜肴。

主料：活团鱼一只（约 500～1000 克）。

配料：人参 5 克，茯苓 10 克，浮麦 20 克，鸡蛋一个，火腿肉 50 克。

调料：姜 15 克，葱 15 克，食盐 3 克，料酒 15 克，味精 1 克，鸡汤 100 克，生板油 50 克。

制作要领：团鱼要经氽水去腥味和黑膜，再与药料同蒸，蒸时要封碗口，防止鲜味外溢。

制作工艺：将团鱼斩去头颈，沥净血水，放在盆内加沸水烫 3 分钟后取出，用小刀刮去背部和裙边上的黑膜，再剥去四脚上的白衣，斩去爪、尾及腹壳，取出内脏，洗净。锅置火上，放入清水和团鱼，烧沸后用文火煮约半小时捞出，放入温水中，撕去黄油，剔去背壳、腹甲、甲肢粗骨，洗净切成 3 厘米见方的块，放入碗中。将火腿肉切成小片，生板油切成丁，盖在团鱼上面。将调料的一半（味精暂不用）、姜米、清汤适量一并放入碗中。将浮麦、茯苓用布包好扎口，放入汤中。人参打成细粉撒在上面，用湿棉纸封好碗口，上笼蒸 3 小时至团鱼酥烂。团鱼出笼后拣去葱节，翻碗，将原汤倒入锅里，用剩下的一半调料及味精少许调味，烧沸后打去浮沫，再打一个鸡蛋在汤内，略煮后浇在团鱼上即成。

成菜特点：鱼肉软烂，炝滑利口，汤汁浓厚，蛋味浓郁。

（三十一）牛膝蹄筋

牛膝蹄筋为四川省药膳。是用中药牛膝和猪蹄筋、鸡肉、火腿、蘑菇，加胡椒、料酒、味精、姜、葱、盐等调料制成。

具有祛风湿，活筋骨之功效。对风湿关节炎、手足乏力、筋骨疼痛等症有较好疗效。

烹调类型：经蒸烹制而成的鲜香味型菜肴。

主料：猪蹄筋 100 克，鸡肉 500 克。

配料：牛膝 10 克，火腿 50 克，蘑菇 25 克。

调料：胡椒 3 克，料酒 10 克，味精 1 克，姜 10 克，葱 10 克，盐 3 克。

制作要领：蹄筋要涨发软后再入牛膝及其它配料同蒸，以使软烂。

制作工艺：将牛膝洗净，润后切成斜口片。蹄筋放入钵中，加水上笼蒸 4 小时，至蹄筋酥软时取出，再用凉水浸漂 2 小时，剥去外层筋膜，洗净，火腿洗净后切丝；蘑菇水发后切成丝，姜葱洗净后，姜切片，葱切段。把发涨的蹄筋切成长节，鸡肉剁成小方块，取蒸碗将蹄筋、鸡肉放入碗内，再把牛膝片放在鸡肉上面，火腿丝和蘑菇丝调合均匀，撒在周围。姜片、葱段放入碗中，上笼蒸约 3 小时，待蹄筋酥烂后出笼，拣去姜葱，加胡椒、料酒、盐、味精等调味即成。

成菜特点：肉质软烂，鲜香适口。

（三十二）三七蒸鸡

三七蒸鸡为四川省药膳。是用中药三七与鸡，加料酒、姜、葱、味精、食盐等调料制成。具有强身补血之功效。对贫血、面色萎黄、久病体弱有良好疗效。

烹调类型：经蒸烹制而成的鲜咸味型菜肴。

主料：母鸡一只（约 1000 克）。

配料：三七 20 克。

调料：料酒10克，姜10克，葱10克，味精1克，食盐3克。

制作要领：三七要分为二份，一份磨粉撒于鸡肉盆；一份蒸软切片放鸡盆同蒸。蒸时要注意加水量和注意用火，要大火上汽，小火焖蒸。

制作工艺：鸡宰后去毛、内脏和爪，洗净剁成小块装入盆中。将10克三七磨粉备用，余下的三七上笼蒸软切成薄片。姜葱洗净，姜切片，葱切段待用。将三七片放入鸡盆中，姜葱放在鸡上面，注入清水适量，加入料酒、盐，上笼蒸约2小时。出笼后拣去姜葱，调入味精，再把三七粉撒入盆中拌匀即成。

成菜特点：鸡肉烂软，鲜香滑润

（三十三）当归炖鸡

当归炖鸡为四川省著名药膳。是选用母鸡和当归，加姜、葱、盐、料酒、味精等调料制成。具有补血、保肝之功效。对贫血、月经不调、腹痛、血虚头痛、眩晕等症有疗效。

烹调类型：经炖烹制而成的鲜咸味型菜肴。

主料：母鸡一只（约1000克）。

配料：当归20克。

调料：姜10克，葱10克，盐3克，料酒10克，味精1克。

制作要领：炖制时要注意砂锅加水量，一次加足，勿二次添水，以防影响成菜质量。

制作工艺：鸡宰杀后去毛，剖腹洗净，剁去爪，用开水氽透，再放入凉水中洗净，沥干水分。当归洗净，按块质大小，顺切几刀。姜葱洗净，姜拍破、葱切段待用。将当归、姜、葱装入鸡腹内，肚腹朝上放入砂锅内，注入清水适量，加入盐、料酒，置武火上烧开，再改用文火炖至鸡肉酥烂时即成。

成菜特点：鸡肉白嫩酥烂，汤汁鲜咸适口，略有药香味。

（三十四）黄精熊掌

黄精熊掌为四川省著名药膳。是选用熊掌、黄精、肥母鸡、猪肉，加葱、化猪油、酱油、味精、料酒、姜、盐、胡椒粉等调料制成。具有补中益气，延年益寿的功效。对防治中老年常见的血管病、糖尿病有一定疗效。

烹调类型：经烧烹制而成的鲜味型菜肴。

主料：熊掌一对（约1500克）。

配料：黄精100克，肥母鸡肉500克，猪肉1000克。

调料：葱100克，化猪油100克，酱油50克，味精1克，料酒50克，姜50克，盐5克，胡椒粉3克，肉汤1000克。

制作要领：熊掌要选无腥臭质优品，先涨发软去骨后再同配料烧制。

制作工艺：将清水7.5公斤放入锅内，投入熊掌用武火煮1小时半，捞出熊掌去净茸毛，洗净。黄精洗净，切成薄片。将肥母鸡切成小块，猪肉切成片。大葱切下葱白、葱叶，姜拍破，各分成三份。将锅置武火上烧热，放入猪油、姜、葱各一份，稍炒后加入肉汤、熊掌、料酒，煮10分钟后捞出熊掌，倒去锅中调料。按上法反复煮三次，捞出熊掌去骨。锅置武火上，加猪油20克，放入黄精片、猪肉、鸡块煸炒；再加入酱油、姜、盐、肉汤、胡椒粉、味精、料酒、葱白、熊掌等，用文火烧熟。先将熊掌、鸡肉、葱白起锅，用武火将原汁熬浓，加入人参粉搅匀，淋在熊掌上即成。

成菜特点：掌肉软烂糯滑，鲜香油润爽口，汤汁粘浓香醇。

（三十五）冰糖莲子

冰糖莲子为四川省药膳。是选用干莲子，加冰糖、蜂糖烹制而成。具有养心安神，补脾止泻，益肾固精之功效。对脾虚腹泻、遗精、白带等症有较好疗效。

烹调类型：经蒸烹制而成的甜香味型热菜。

主料：干莲子 300 克。

配料：猪网油一块（约 20 平方厘米），碱 7.5 克。

调料：冰糖 150 克，蜂糖 50 克。

制作要领：莲子要去心，蒸制时要注意加水和碱量，因碱量过多不但味感差，还会破坏营养成分。

制作工艺：锅内注入清水（以淹没莲子为度），加碱，置武火上，下入莲子，用锅刷反复搓刷（锅中水微开），视莲衣脱尽即离火，用温水冲洗干净，切去两头，抽去莲心。莲子放入盅内，注入水，上笼用武火蒸熟取出。另用一碗铺上网油，将蒸熟的莲子码在碗里；冰糖捣碎撒在上面，用棉纸封口再上笼蒸烂。出笼，去棉纸，倒出汁，加蜂糖收浓，浇在莲子上即成。

成菜特点：软糯，蜜甜，清香，滑爽。

（三十六）枸杞海参鸽蛋

枸杞海参鸽蛋为四川省药膳。是用中药枸杞与海参、鸽蛋，加花生油、食盐、料酒、酱油、味精、胡椒粉、鸡汤、姜、葱、豆粉等调料制成。具有滋肾润肺，补肝明目之功效。

烹调类型：经煨烹制而成的鲜味型菜肴。

主料：水发海参 2 只

配料：枸杞 15 克，鸽蛋 12 个。

调料：花生油 1500 克，食盐 3 克，料酒 10 克，味精 1 克，酱油 10 克，胡椒面 2 克，猪油 150 克，鸡汤 500 克，姜 10 克，葱 10 克，豆粉 30 克，汤 500 克。

制作要领：主配料要按原料性质不同先预制熟，而后再与药料同煨。煨时要注意火力平稳。

制作工艺：将水发海参内壁洗净，用汤氽两遍，再用刀尖在腔壁切棱形花刀（不要切透）。鸽蛋下入凉水锅，用文火煮熟，捞出，入凉水浸过，剥去壳。葱切段，姜拍破。把花生油烧沸，将鸽蛋滚上干豆粉，放入油锅内炸呈黄色捞出。锅烧热注入 100 克猪油，油沸下葱、姜煸炒后，倒入鸡汤，煮 3 分钟，捞出葱、姜不用，再加入酱油、料酒，胡椒粉、枸杞、海参、烧沸撇去浮沫，移文火㸆约 10 分钟，把海参、枸杞取出入盘，鸽蛋放在海参周围。汁内加味精，用水豆粉勾芡后，再淋 50 克沸猪油，把汁淋在海参和鸽蛋上即成。

成菜特点：海参粑烂，油润爽滑，鸽蛋酥软，鲜香适口。

（三十七）红娘自配

红娘自配为四川省药膳。是选用猪里脊肉、大虾、鸡蛋、面包、冬笋、海参、水发冬菇，加猪油、料酒、番茄酱、胡椒面、干面粉等调料制成。具有气血双补，健体强身之功效。适用于气血不足的虚症，有滋补作用。

烹调类型：经炸烹制而成的茄汁味型菜肴。

主料：猪里脊肉 115 克，大虾 180 克。

配料：鸡蛋 3 个，面包 60 克，冬笋 15 克，海参 15 克，水发冬菇15克，火腿20克，香菜叶25克。

调料：猪油1250克，料酒10克，豆粉30克，番茄酱15克，味精1克，干面粉25克，胡椒粉3克，葱10克，姜10克，盐3克，汤50克。

制作要领：虾盒和面包丁要在低温油中浸炸，保持火力平稳，以防过火，影响色泽和口味。

制作工艺：将大虾去掉头、壳，除去虾背沙线，在虾背用刀拉一道口，拍成大片，加少许料酒、盐、胡椒粉、味精喂一下。把里脊肉剁成泥放入碗内，加入调味品，搅拌成茸，把肉茸夹入虾片中间，成半圆形虾盒，在虾盒表面撒一层面粉备用。炒锅放在火上，下1250克猪油，烧至三成热（约66℃）时，用捏住虾尾沾满雪衣糊，入锅慢炸，在没沾油的一面，按上一片香菜叶，再在香菜叶的周围缀上火腿末，然后翻一面，两面都炸透捞出入盘。再把切好的面包丁下入油勺炸黄捞出，码于虾盘中间。勺内留少许底油，下配料略炒，加番茄酱、调味品、汤少许，勾芡，加明油出锅，浇在面包丁上即成。

成菜特点：虾肉酥脆焦香，面包酥脆茄香，一菜两味别致。

（三十八）桂花核桃冻

桂花核桃冻为四川省药膳。是用糖桂花、核桃仁、奶油、石花菜、菠萝蜜等料制成。具有养血明目，生津止渴之功效。适用于痰热咳喘、肾虚腰痛、肠燥便秘等症。

烹调类型：经煮、冻而成的奶香味型菜肴。

主料：糖桂花5克，核桃仁250克。

配料：石花菜 15 克。

调料：奶油 100 克，白糖 50 克，菠萝蜜 10 克。

制作要领：核桃磨浆要注意加水；熬好后入冰箱要冷透再放入。

制作工艺：先将核桃仁加水磨成浆；锅置火上，加清水 250 克和石花菜烧至熔化，加入白糖拌匀。将核桃仁浆和石花菜、白糖汁混合拌匀，放入奶油和匀后置火上加热至沸出锅，倒入铝盒内，待冷后放入冰箱冷冻。冻好后，用刀划成菱形块入盘浇上桂花、菠萝蜜，再浇上冷甜汁或汽水即成。

成菜特点：软嫩爽滑，甜香清凉，奶香、桂香融一盘。

（三十九）软炸白花鸽

软炸白花鸽为四川省药膳。是用淮山药与鸽油，加酱油、料酒、花椒粉、盐、味精、菜油、豆粉等调料制成。具有益气健脾、滋肾止渴之功效。适用于虚羸、消渴、闭经等症。

烹调类型：经炸烹制而成的焦香味型菜肴。

主料：鸽肉 250 克。

配料：淮山药 50 克，鸡蛋 5 个。

调料：菜油 500 克，料酒 10 克，酱油 10 克，味精 0.5 克，花椒 3 克，食盐 4 克，豆粉 25 克。

制作要领：要将药磨粉，拌入调料糊中，炸制时要分二次复炸，一次低温，二次高温，才使鸽肉外酥里嫩。

制作工艺：将鸽肉洗净去皮，剞成十字花刀，切成 2 厘米见方的块，装于碗中，用料酒、酱油、味精腌好；再用鸡蛋清加淮山药粉、豆粉调成糊状。将腌好的鸽肉加蛋清豆粉糊拌匀。油烧至六成热（150℃）时离火，逐个放入浆好的鸽肉块，炸时用勺翻动，使受热均匀。待糊凝结后捞起切去角叉。锅置火上，待油温升高后，将鸽肉下锅再炸一次，炸至金黄色时捞起，沥油装盘，撒上花椒盐即成。

成菜特点：色泽金黄，皮脆里嫩，椒香味浓。

（四十）软炸鸡肝

软炸鸡肝为四川省药膳。是选用中药淮山药粉与鸡肝、鸡蛋，加豆粉、菜油、盐、料酒、姜、葱、花椒等调料制成，具有滋补肝肾、清心明目之功效。适用于肝虚目暗，小儿疳积等症。

烹调类型：经炸烹制而成的椒香味型菜肴。

主料：鸡肝 400 克。

配料：山药粉 100 克，鸡蛋 4 个。

调料：菜油 500 克，花椒 3 克，生姜 10 克，葱 10 克，胡椒粉 2 克，食盐 3 克，味精 1 克，料酒 10 克，芝麻油 20 克。

制作要领：山药要磨粉，同调料拌入鸡肝片中腌渍，炸至用温油，不宜炸的过干，以免影响口味。

制作工艺：将鸡肝去筋膜，大的鸡肝改成两块；葱切段，少许葱切花；姜拍破，鸡蛋打散，加水豆粉、山药粉，调成糊状。将鸡肝拌入葱、姜、胡椒粉、食盐、味精、料酒略腌后，用蛋清糊上浆。油锅烧至六成热（150℃）时，将鸡肝逐块下入锅内炸 ，用漏勺捞起。将锅烧热，注入芝麻油，下入鸡肝，放葱花、花椒，翻炸几下盛盘即成。

成菜特点：鸡肝酥脆，甘香味麻。

（四十一）红杞活鱼

红杞活鱼为四川省药膳。是用中药枸杞与鲫鱼、芫荽，加葱、醋、芝麻油、白胡椒粉、奶汤、猪油、料酒等调料制成。具有温中益气，健脾利湿之功效。适用于脾胃虚弱、饥而不食、精神倦怠等症。

烹调类型：经炖烹制而成的鲜味型菜肴。

主料：活鲫鱼 3 尾（约 750 克）。

配料：枸杞 15 克，芫荽 10 克。

调料：葱 15 克，醋 10 克，芝麻油 10 克，料酒 10 克，白胡椒粉 3 克，姜 10 克，盐 3 克，味精 1 克，奶汤 50 克，清汤 500 克，猪油 50 克。

制作要领：鲫鱼要入水氽过去里膜和腥味，同枸杞一起用小火炖，使药入味。

制作工艺：鲫鱼去鳍、鳃、鳞，剖腹去内脏，用沸水略氽一下，用凉水洗净。在鱼身上剞成十字花刀；芫荽洗净，切成段；葱一部分切丝，少许切花。将锅烧热，依次下猪油、清汤、奶汤、姜米、葱花、胡椒粉、味精、料酒、盐，熬成汤汁。同时用另一锅注入清水烧沸，放入鲫鱼煮约 4 分钟（以去腥味）捞出，放入汤锅内，然后将枸杞洗净入锅，先用旺火烧沸，后移文火炖 20 分钟，加入葱丝、芫荽、醋、芝麻油调味即成。

成菜特点：白洁鱼肉点缀鲜红枸杞，色彩美观，肉质鲜嫩，汤汁乳白，鲜香味醇。

（四十二）参芪红烧熊掌

参芪红烧熊掌为四川省药膳。是中药人参、黄芪与熊掌、肥母鸡肉、猪肉，加化猪油、葱、酱油、料酒、姜、葱、胡椒粉等调料制成。具有补血气、除风湿、益气力之功效。适用于诸虚百损、风寒湿痹、脾胃虚弱等症。

烹调类型：经烧烹制而成的鲜香味型菜肴。

主料：熊掌一对（约1500克）。

配料：肥母鸡肉500克，连皮瘦猪肉100克，人参5克，黄芪100克。

调料：化猪油20克，葱50克，酱油25克，味精1克，料酒50克，二汤2000克，胡椒粉3克，食盐4克，生姜35克。

制作要领：熊掌要选载腥臭味的干品，要经多次加绍酒煮去腥味，烧制时要用小火煨，旺火收汁，使成菜软糯味浓。

制作工艺：锅内加清水7.5千克，放入熊掌，用武火煮1个半小时，捞出，去尽茧巴，燎尽茸毛，洗净。黄芪清洗干净，切成斜薄片；人参润后，切成薄片，经干燥后研成细粉。鸡肉切条块，连皮瘦猪肉切成长条。大葱切下葱白，将葱叶分成三份；姜拍破，分成三份。锅置旺火上，注入猪油，放入姜葱一份，炒后加二汤、料酒和熊掌，煮沸约30分钟，倒去锅中的调料。按上法反复煮三次，捞出熊掌，把骨剔尽，再将锅置旺火上，加猪油，放入黄芪片、猪肉、鸡块煸炒后，加入熊掌、酱油、生姜、食盐、二汤、胡椒粉、味精、料酒、葱白等，改用文火烧炽。然后取大盘1个，先将锅中的葱白拣出放于盘内，再将熊掌掌心向上放在葱白上面。锅中黄芪、鸡肉等捞出作它用，用武火将锅中原汁熬浓，加入人参粉搅匀，淋在熊掌上即成。

成菜特点：熊掌红亮，炽烂软糯，汤汁粘浓，味道鲜香。

（四十三）芪烧活鱼

芪烧活鱼为四川省药膳，是用中药黄芪、党参与鲤鱼、水发香菇、冬笋，加白糖、料酒、盐、生姜汁、葱、蒜、菜油、猪油、清汤等调料制成。具有益气健脾，利水消肿之功效。适用于水肿胀满、咳嗽气逆等症。

烹调类型：经炸、煨烹制而成的鲜味型菜肴。

主料：活鲤鱼 1 尾（约 750 克）。

配料：黄芪 10 克，党参 6 克，水发香菇 15 克，冬笋片 15 克。

调料：白糖 30 克，料酒 10 克，盐 3 克，酱油 10 克，葱 10 克，姜 15 克，蒜 10 克，味精 1 克，水豆粉 20 克，菜油 500 克，猪油 50 克，清汤 500 克。

制作要领：鲤鱼要先炸后煨，煨时同药一锅，小火煨透，使药入味。

制作工艺：鲤鱼去鳃、鳞、鳍后，剖腹去内脏，洗净；在鱼身上两面剞十字花刀。水发香菇一切两半；党参、黄芪洗润后，切成 2 厘米厚的片。姜、葱、蒜洗净，切成蒜片、葱丝，姜做成姜汁备用。炒锅烧热，放入菜油烧至六成热（约 150℃）时，下鲤鱼炸至金黄色捞出，沥去油。锅置火上，注入猪油，放白糖，炒成枣红色时，加清汤，下入炸好的鲤鱼、党参片、黄芪片，烧沸后移文火煨至熟透入味，将鱼入盘，拣去党参和黄芪。把笋片、香菇片放入汤锅内，调入味精，烧沸后，撇去浮沫，用水豆粉勾芡，淋上猪油，浇在鱼上即成。

成菜特点：鱼肉褐红，肉质鲜嫩，芡汁浓郁，鲜香味醇。

（四十四）桃杞鸡卷

桃杞鸡卷为四川省药膳。是用中药枸杞与鸡肉、核桃仁，加菜油、芝麻油、味精、料酒、姜、葱、盐、白卤汤等调料制成。具有补精添髓，补中益气，明目健身之功效。适用于肾虚腰痛、精神倦怠等症。

烹调类型：经煮烹制而成卤香味型菜肴。

主料：公鸡一只（约1000克）。

配料：枸杞50克，核桃仁100克。

调料：菜油200克，芝麻油25克，味精1克，料酒10克，盐3克，姜10克，葱10克，白卤汤750克。

制作要领：鸡要去净骨，枸杞和核桃仁要包扎紧，煮制时要小火焖熟，使鸡药混为一体。

制作工艺：将公鸡宰杀后去毛和内脏，洗净，由脊背下刀剔骨，保持整形不破裂；姜葱切片；把鸡用盐、料酒、味精抹匀，加姜、葱腌渍3小时；核桃仁用开水泡后去皮，下油锅炸熟；枸杞洗净备用。将鸡肉内的姜、葱去掉，皮朝下放在案板上理伸，把枸杞、核桃仁混合，放在鸡肉面上卷成筒形，用线捆紧；烧沸卤汤，放入鸡卷，煮30分钟，煮时撇去浮沫。煮好捞出晾冷，解去线布，刷上芝麻油，切成圆片即成。

成菜特点：肉质红润，软烂鲜嫩，卤香味浓。

（四十五）杞鞭壮阳汤

杞鞭壮阳汤为四川省药膳。是用中药枸杞、肉苁蓉、黄牛鞭与肥母鸡，加花椒、猪油、料酒、味精、食盐、生姜等调料制成。具有滋补肝肾，益精润燥之功效。适用于肝肾虚损、精血不足而致的腰膝酸软、头晕耳鸣、阳萎遗精等症。

烹调类型：经炖烹制而成的鲜咸味型菜肴。

主料：黄牛鞭1000克。

配料：肥母鸡肉500克，枸杞15克，肉苁蓉50克。

调料：花椒3克，猪油20克，料酒20克，味精1克，食盐3克，生姜10克。

制作要领：牛鞭要涨发软，炖制时一次加足水量，炖制用小火，时间宜长不宜短，才便药味才充分的入鞭和汤。

制作工艺：将牛鞭用热水发胀，顺剖成两块，刮洗干净，用凉水漂30分钟。枸杞拣去杂质。肉苁蓉洗净，用适量酒润透，蒸2小时取出，漂洗干净，切片备用。用砂锅加入清水，放入牛鞭烧开，打去浮沫，放入姜、花椒、料酒和鸡肉，用旺火烧沸，移小火炖，每小时翻动一次，炖至六成熟时，用干净纱布滤去汤中的姜、花椒，再置武火上烧沸，加入用纱布袋装好的枸杞、肉苁蓉，移文火上炖至牛鞭八成熟时，取出牛鞭，切成3厘米的条块，放入砂锅炖烂。鸡肉取出作它用，取出药包，加味精、盐、猪油等调味即成。

成菜特点：鞭肉烂烂，软滑适口，汤汁香浓。

（四十六）妇科保健汤

妇科保健汤为四川省药膳。是用鸡与墨鱼及中药鹿角胶、鳖甲、牡蛎、桑螵蛸、人参、黄芪、当归、白芍、香附、天门冬、甘草、生地黄、山药、丹参、熟地黄、银柴胡、鹿角霜、川芎等，加葱、姜、味精、盐等调料制成。具有补气养血、调经止带之功效。适用于气血两虚、身体瘦弱、腰膝酸软、月经不调等症。

烹调类型：经蒸烹制而成的鲜咸味型菜肴。

主料：乌骨鸡8000克。

配料：墨鱼1000克，鹿角胶25克，鹿角霜10克，鳖甲

12克，牡蛎12克，桑螵蛸10克，人参25克，黄芪10克，当归30克，白芍25克，香附25克，天门冬12克，甘草6克，生地黄50克，熟地黄50克，川芎12克，丹参25克，山药25克，银柴胡5克，芡实12克。

调料：生姜30克，葱25克，盐6克，味精2克，料酒50克。

制作要领：肉料要先汆水后再与药料蒸炖，使药充分入肉。

制作工艺：将人参碾细备用，其余药物用纱布袋装好扎口；墨鱼用温水洗净；鸡爪、翅和药袋一起下锅，熬1小时待用。鸡肉洗净，入沸水锅汆后洗净，切成条状，分别装100碗，加葱、姜、盐、料酒、药汁，上笼蒸烂。出笼拣去葱姜，将鸡肉扣入碗中，原汤倒入锅，再加适量汤，调入料酒、盐、味精，烧沸去浮沫，收浓浇在鸡肉上即成。

成菜特点：鸡肉软烂，鲜咸适口，汤汁粘浓，原汁原味。

（四十七）复元汤

复元汤为四川省药膳。是用中药淮山药、肉苁蓉、菟丝子与胡桃仁、粳米、瘦羊肉、羊脊骨，加葱白、姜、料酒、八角、花椒粉、盐等调料制成。具有温中暖下之功效。适用于虚劳羸瘦、腰膝无力等症。

烹调类型：经炖烹制而成的鲜味型菜肴。

主料：瘦羊肉500克、粳米100克。

配料：淮山药50克，肉苁蓉20克，菟丝子10克，羊脊骨一具，胡桃仁2个。

调料：葱白3根，姜10克，料酒10克，八角3克，花椒2克，盐3克，胡椒粉2克。

制作要领：药要先经泡软后再与羊肉和骨一起炖，水量要足，时间要够，使药充分入汤和肉。

制作工艺：将羊脊骨砍成数块洗净，羊肉洗净，一起入沸水锅内氽去血水，再洗净。将淮山药等药物用纱布装好扎口，姜、葱拍破，羊肉切成条块。将以上食物和药物同时下入砂锅内，加清水适量，置武火上烧沸，打去浮沫，放入花椒、八角、料酒，移文火上炖㸆。将肉汤装碗，加胡椒粉、盐调味即成。

成菜特点：羊肉鲜嫩，滑爽利口，汤汁清鲜。

（四十八）附片羊肉汤

附片羊肉汤为四川省著名药膳。是用中药附片与羊肉，加生姜、葱、胡椒、盐等调料烹制而成。具有温肾壮阳，补中益气之功效。适用于气血两亏、四肢厥冷、体弱面黄等症。

烹调类型：经炖烹制而成的鲜味型菜肴。

主料：羊肉200克。

配料：附片30克。

调料：生姜50克，葱50克，胡椒3克，盐5克。

制作要领：羊肉要先煮断生去腥膻味，再放药入砂锅炖，小火炖㸆。

制作工艺：将附片用纱布装好扎口。羊肉用清水洗净，放入沸水锅内，加生姜、葱各25克，煮至断红色捞出，剔去骨，切成2.5厘米方块，再放入清水中漂去血水；羊骨拍松，姜拍破，葱缠成团待用。砂锅内加入清水，置火上，下入羊肉、姜葱和胡椒，把附片药包放入汤内，先用武火加热，煮沸30

分钟后，移文火炖至羊肉熟烂，将附片捞出，分盛10碗，羊肉放在上面，掺入原汤即成。

成菜特点：肉质软烂，鲜香可口，汤汁清鲜。

（四十九）沙参心肺汤

沙参心肺汤为四川省药膳。是用中药沙参、玉竹与猪心肺，加葱、盐等调料制成。具有润肺止咳，养胃生津之功效。适用于青年肺虚咳嗽、大便燥结等症。

烹调类型：经炖烹制而成的咸鲜味型菜肴。

主料：猪心肺1具。

配料：沙参15克，玉竹15克。

调料：盐3克，味精1克，葱25克。

制作要领：肺要多次灌洗，去污水。再同药一起入砂锅小火炖烂。要注意加水量和炖制时间。水宜宽，时间宜长。

制作工艺：将沙参、玉竹择净后用清水漂洗，再用纱布包好备用。心肺用清水冲洗干净，挤尽血水，同沙参、玉竹一起下入砂锅，葱洗净入锅，加清水适量，先用武火烧沸，移文火炖1个半小时，待心肺熟透，加味精、盐调味即成。

成菜特点：心肺软烂，咸鲜适口，汤汁味酽。

（五十）龙马童子鸡

龙马童子鸡为四川省药膳。是用中药海马与虾仁、仔公鸡，加料酒、味精、盐、姜、葱、水豆粉和清汤等调料制成。具有温中壮阳，益气补精之功效。适用于阳萎、早泄、虚劳羸瘦、小便频数、崩漏带下等症。

烹调类型：经蒸烹制而成的鲜味型菜肴。

主料：仔公鸡一只（约1000克）。

配料：海马10克，虾仁15克。

调料：料酒10克，味精1克，盐3克，姜10克，葱白15克，豆粉10克，清汤100克。

制作要领：海马要经泡洗，鸡肉要先氽后与药同蒸，时间不宜短，火力不宜猛。

制作工艺：将仔公鸡宰杀后去毛、内脏和爪，洗净入沸水锅氽后，剁成长方形小块，分装5～7碗，将海马、虾仁用温水洗净，泡10分钟，分放在鸡肉上面，加葱白、姜片及清汤适量，上笼蒸烂。出笼拣去姜葱，把鸡肉扣入碗中，原汤倒入锅内，烧沸撇去浮沫，加入料酒、盐、味精、用豆粉勾芡收汁，浇在鸡肉上即成。

成菜特点：鸡肉酥烂，鲜香味浓，芡汁滑爽。

（五十一）参杞羊头

参杞羊头为四川省药膳。是用中药党参、枸杞、陈皮、山药与羊头、荸荠、火腿，加上汤、食盐、味精等调料制成。具有补脾益肾之功效。适用于虚劳羸瘦、眩晕耳鸣、脾虚腹泻等症。

烹调类型：经煮、蒸烹制而成的鲜咸味型菜肴。

主料：羊头一只（约400克）。

配料：党参18克，枸杞10克，陈皮10克，山药24克，荸荠60克，火腿30克，鸡蛋壳3个。

调料：上汤500克，食盐5克，味精1克。

制作要领：羊头要事先煮熟去骨取脑，再同药同蒸。蒸时要加盖，防止香气外溢。

制作工艺：将党参、山药分别洗净后，焖软切片；枸杞去杂质。将羊头皮面燎去绒毛，放入温水中刮洗干净，砍成两半，取出羊脑，洗净血水，放入锅内，加清水和鸡蛋壳，煮至羊头熟，取出洗净。再将羊头放入锅内，加清水适量，下陈皮、火腿、荸荠，武火烧沸，撇去浮沫，移文火上炖烂，取出羊头，拆骨后切成条块。将荸荠、火腿切片，放入盆内；羊肉块放在荸荠上面；党参、枸杞、山药洗净后，放在羊头肉上面，加入原汤，加盖上笼蒸 1 小时左右取出，用食盐、味精调味即成。

成菜特点：头肉烂烂，荸参软糯，汤汁清鲜。

（五十二）参蒸鳝段

参蒸鳝段为四川省著名药膳。是用中药党参、当归与鳝鱼、熟火腿，加盐、料酒、胡椒粉、葱、姜、味精、鸡汤等调料制成。具有补中益气，生津润澡之功效。对脾胃虚弱、血气两亏、血虚头痛、肠燥便秘有较好疗效。

烹调类型：经蒸烹制而成的鲜味型菜肴。

主料：鳝鱼 1000 克。

配料：当归 5 克，党参 10 克，熟火腿 150 克。

调料：盐 3 克，料酒 15 克，胡椒粉 2 克，葱 20 克，姜 20 克，味精 1 克，鸡汤 100 克。

制作要领：鳝鱼要先在沸水中氽过，去腥味后再与药同时蒸炉，蒸时要用纸封口，防止香味外溢。

制作工艺：将鳝鱼剖腹，去内脏和骨后洗净，入沸水锅氽一下捞出，刮去粘液，去头尾，切成 6 厘米长的段；熟火腿切成片；生姜及葱洗净，姜切片，葱切段。锅内注入清水，下一半姜葱和料酒，待水沸后，把鳝鱼段放沸水中烫一下捞出，码在盆内，上面放火腿片、当归、党参、姜片、葱段、料酒、胡椒粉、盐、注入清鸡汤，加盖，用棉纸封口，上笼蒸1小时左右，取出启封，拣去姜、葱，加味精即成。

成菜特点：鳝肉软烂鲜香，汤汁清爽味酽。

（五十三）百仁全鸭

百仁全鸭为四川省药膳。是用薏苡仁、湘莲、芡实、扁豆、糯米、金钩、熟火腿、蘑菇和肥鸭，加菜油、料酒、胡椒粉、盐等调料制成。具有补脾健胃，滋阴益肾之功效。适用于脾虚呕逆、肾阴亏损、夜寐多梦、骨蒸痨热等症。

烹调类型：经蒸、炸烹制而成的酥香味型菜肴。

主料：肥鸭一只（约1500克）。

配料：薏苡仁30克，湘莲50克，芡实30克，扁豆30克，糯米100克，金钩15克，熟火腿50克，蘑菇30克。

调料：菜油500克，料酒30克，盐5克，胡椒粉3克。

制作要领：药料要用温水浸泡软；鸭要剔骨，装药料口要封严，防止漏出，要先蒸后炸。炸时要用热锅热油，防止油温过低，以防鸭皮色不佳，口感不酥香。

制作工艺：将湘莲去皮、心，扁豆煮熟去皮，糯米淘净用水漂5分钟，薏苡仁、芡实去杂质用温水浸泡15分钟，金钩用温水发透，蘑菇用温水泡10分钟洗净，切成1厘米大的方丁。火腿去皮切成与蘑菇相同的丁。将以上原料一起放入碗内，加料酒、盐、胡椒粉，拌匀上笼蒸30分钟出笼，即制成八宝馅。将鸭子宰杀后去毛、内脏和脚，在鸭颈上顺开一刀，长约7厘米，切断颈脊骨，剔出颈骨，然后将鸭尾朝下，立放于案板上，将鸭皮由上往下退，同时用刀剔去骨头（除两翅外)，成一只无骨全鸭。将八宝馅装入鸭腹内，在鸭颈部打个结，以免漏馅。然后放入汤中烫3分钟捞出，用料酒、盐、胡椒粉等遍抹鸭身，将鸭腹朝下，放入大蒸碗中，上笼蒸1个半小时出笼，晾干水分。油锅烧热，待油至八成热（约200℃）时，放入鸭子炸至皮酥色黄时捞出，装盘即成。

成菜特点：色泽金黄，皮脆肉嫩，酥香可口。

（五十四）红杞蒸鸡

红杞蒸鸡为四川省著名药膳。是用中药枸杞与鸡，加料酒、胡椒粉、生姜、葱、味精、盐等调料制成。具有滋肝补肾之功效。适用于男女肾虚、腰酸膝软、头昏眼花、视力减退等症。

烹调类型：经蒸烹制而成的鲜咸味型菜肴。

主料：仔母鸡1只（约1500克）。

配料：枸杞15克。

调料：料酒10克，胡椒粉3克，生姜10克，葱10克，味精1克，盐3克，清汤150克。

制作要领：枸杞要装入鸡腹，蒸制时盛器要封口，使药料更好的入肉里。

制作工艺：将鸡宰杀后去毛、内脏和爪，洗净；枸杞洗净，姜切成大片，葱切段待用。将鸡入沸水汆透，捞起用凉水冲洗干净，沥去水分，将枸杞由鸡的裆部装入腹内，然后将腹部朝上放入盆内，加姜、葱、胡椒粉、料酒、盐，注入清汤，用湿棉纸封口，上笼旺火蒸2小时至鸡烂取出，拣出姜葱，放入味精即成。

成菜特点：鸡肉软烂，鲜香滑爽，汤汁浓郁。

（五十五）归芪蒸鸡

归芪蒸鸡为四川省著名药膳。是用中药黄芪、当归与仔母鸡，加料酒、味精、胡椒粉、盐、生姜、葱、清汤等调料制成。具有补气生血之功效。适用于气血虚亏、面色痿黄、精神不振及产后失血等症。

烹调类型：经蒸烹制而成的鲜咸味型菜肴。

主料：仔母鸡 1 只（约 1500 克）。

配料：炙黄芪 100 克，当归 20 克。

调料：料酒 10 克，味精 1 克，胡椒粉 3 克，盐 3 克，葱 10 克，生姜 10 克，清汤 150 克。

制作要领：药要装入鸡腹，蒸制时要封严盛器口，以药味不外益。

制作工艺：将鸡宰杀后去毛、内脏和爪，洗净，放入沸水中氽透捞出，放入凉水中冲洗，沥去水分；当归洗净，视其个头大小顺切几刀；生姜、葱洗净，姜切大片，葱切段。将当归、炙黄芪由鸡的档部装入腹内，然后将鸡腹部朝上放入盆内，放上生姜、葱段，注入清汤，加盐、胡椒粉、料酒，用湿棉纸封口，上笼蒸约 2 小时取出，启封拣去姜、葱，加入味精调味即成。

成菜特点：肉质炬烂，鲜咸适口，原汁原味，汁浓味酽。

（五十六）虫草鹌鹑

虫草鹌鹑为四川省著名药膳。是用中药冬虫夏草与鹌鹑，加鸡汤、生姜、葱、胡椒粉、盐等调料制成。具有滋肺润肾，强筋健骨之功效。适用于痨热骨蒸、腰膝酸痛、肺虚咯血、神瘦少食等症。

烹调类型：经蒸烹制而成的鲜咸味型菜肴。

主料：鹌鹑 8 只。

配料：冬虫夏草 8 克。

调料：生姜 10 克，葱 10 克，胡椒粉 3 克，盐 3 克，鸡汤 300 克。

制作要领：虫草要泡软，入鹌鹑腹内，封严盛器后再入笼蒸熟，使药料入肉。

制作工艺：将冬虫夏草择去灰屑，用温水洗净。鹌鹑宰杀后去毛、内脏和头爪，洗净沥干水分，放入沸水锅内氽一下捞出晾凉；生姜、葱洗净，姜切片，葱切段。将每只鹌鹑的腹内放入冬虫夏草 1～4 只，然后逐只用绳缠紧，放入盆内，放入葱姜、胡椒粉和盐，注入鸡汤，用温棉纸封口。上笼蒸约 40 分钟取出，揭去棉纸即成。

成菜特点：鹑肉软烂，鲜咸味酽。

（五十七）芪蒸鹌鹑

芪蒸鹌鹑为四川省著名药膳。是用中药黄芪与鹌鹑，加生姜、葱、胡椒粉、盐、清汤等调料烹制而成。具有益气补脾，利水消肿之功效。适用于脾虚泻泄、子宫脱垂等症。

烹调类型：经蒸烹制而成的鲜香味型菜肴。

主料：鹌鹑 2 只。

配料：黄芪 10 克。

调料：生姜 10 克，葱 10 克，胡椒粉 2 克，盐 2 克，清汤 100 克。

制作要领：鹌鹑要先氽后蒸，黄芪入腹内，蒸制时要封严盛器。

制作工艺：将鹌鹑杀后，去毛、内脏和爪洗净，入沸水中汆1分钟捞出待用。将黄芪用湿布擦净，切成薄片，分别装入鹌鹑腹内，放入蒸碗，注入清汤，用湿棉纸封口，上笼蒸约30分钟，出笼揭去棉纸，滗出原汁，加盐、胡椒粉等调好味，再将鹌鹑扣入碗内，灌入原汁即成。

成菜特点：鹑肉清鲜软烂，汤汁鲜香滑爽。

（五十八）淮药肉麻元

淮药肉麻元为四川省药膳。是用中药淮山药与猪肥膘肉、熟芝麻、加菜油、白糖、豆粉等调料制成。具有补肾益精，润养血脉之功效。适用于脾肾虚弱、肤发枯燥、肺虚燥咳等症。

烹调类型：经炸烹制而成的甜香味型冷菜。

主料：淮山药粉50克，猪肥膘肉400克。

配料：熟芝麻50克，鸡蛋3个，淀粉100克。

调料：菜油100克，白糖250克。

制作要领：山药要磨粉，同肉茸、蛋黄一并调成蛋糊，要用温油炸，防止炸糊。

制作工艺：将肥膘肉放在汤锅内煮熟，捞到凉水中浸一下，放入盘内；将鸡蛋清、蛋黄分开盛入两个碗内，先将蛋清调入淀粉和淮山药粉，搅匀（无疙瘩硬心），再加进蛋黄调成蛋糊。将肥膘肉切成1厘米见方的丁，再放入沸水中汆透捞出，散开晾凉，用蛋糊拌匀待用。油锅烧沸，用筷子将拌好的肉丁放入油锅内炸，待蛋糊凝固时捞出，掰去棱角，再放入油锅炸黄并发出脆声时为止。将另一锅内注入少量清水，放入白糖，用文火翻炒，待糖炒成金黄色时，加入炸好的肉元，将锅离火铲动，随即撒入芝麻，继续铲动，待芝麻贴在肉元上时，起锅晾凉装盘即成。

成菜特点：麻丸皮脆，肉瓤油润，麻香蜜甜。

（五十九）翠皮爆鳝丝

翠皮爆鳝丝为四川省药膳。是用西瓜皮与鳝鱼、泡海椒、鸡蛋，加葱、姜、蒜、盐、香油、料酒、胡椒粉、猪油、酱油、醋、白糖等调料制成。具有补虚损、解暑热、强筋骨之功效。是夏季解暑祛湿常用的药膳。

烹调类型：经炒烹制而成的鲜香味型菜肴

主料：鳝鱼 1000 克。

调料：西瓜皮 250 克，泡海椒 50 克，鸡蛋 2 个，姜 10 克，葱 10 克，蒜 10 克，盐 3 克，酱油 10 克，味精 1 克，白糖 20 克，醋 5 克，香油 10 克，料酒 10 克，胡椒粉 1 克，猪油 100 克，豆粉 15 克，汤 50 克。

制作要领：鳝丝粗细要适度，要用料芡浆好，炒制时要先用温油划熟而后再加调料。

制作工艺：西瓜皮洗净后压汁，用纱布过滤待用。鳝鱼洗净后去内脏和骨，斜切成丝。泡海椒切成斜口条，姜、葱、蒜择选洗净后切成丝。鸡蛋去黄留清备用。鳝鱼丝用豆粉、盐、蛋清、西瓜汁调匀。用料酒、白糖、味精、胡椒粉、豆粉、汤和西瓜汁兑成汁。锅烧热后放入猪油，待油六成热（约 132℃）时下鳝鱼丝，划散滑透倒入漏勺。锅置火上，放入少许猪油，将泡海椒、姜、葱、蒜丝下锅翻炒，再加鳝鱼丝炒匀，将兑的汁倒入，加醋、香油炒匀起锅，装盘即成。

成菜特点：鳝鱼鲜嫩，鲜香味美。

（六十）杜仲腰花

杜仲腰花为四川省药膳。是用中药杜仲与猪腰，加料酒、葱、菜油、猪油、味精、酱油、醋、豆粉、大蒜、白糖、姜、花椒等调料制成。具有补肝肾、强筋骨、安胎之功效。对腰脊酸疼、足膝痿弱、胎漏欲堕、高血压有较好疗效。

烹调类型：经炒烹制而成的糖醋味型菜肴。

主料：猪腰子 250 克，杜仲 12 克。

调料：料酒 10 克，葱 10 克，菜油 25 克，猪油 15 克，味精 1 克，酱油 10 克，醋 5 克，豆粉 15 克，花椒 2 克，大蒜 10 克，姜 10 克，盐 2 克，白糖 25 克。

制作要领：猪腰去净腰臊，并用水漂去腥臊味，炒制时要热锅热油快速，才使猪腰鲜嫩。

制作工艺：将猪腰子洗净，一切两半，去腰臊筋膜，切成腰花。将白糖、醋、酱油、味精和水豆粉兑成滋汁备用。杜仲加清水熬成浓汁约 50 毫升。姜、葱洗净，姜切小片，葱切段待用。用杜仲汁的一半加料酒。将锅置武火上烧热，加混合油烧至八成热（约 168℃）时，放入腰花和花椒、姜、葱、蒜、杜仲汁，快速炒散，待腰花熟时立即离火装盘即成。

成菜特点：菜形美观，腰花鲜嫩，甜酸适口。

（六十一）天麻鱼头

天麻鱼头为四川省药膳。是用中药天麻与鲜鲤鱼、川芎、茯苓，加酱油、葱、姜、豆粉等调料制成。具有平肝熄风，定惊止痛、行气活血之功效。对虚火头痛、眼黑肢麻、神经衰弱、高血压头昏等症有较好的疗效。

烹调类型：经蒸烹制而成的鲜味型菜肴。

主料：鲜鲤鱼一尾（约750克）。

配料：天麻25克，川芎10克，茯苓10克。

调料：酱油10克，葱15克，姜15克，豆粉15克，清汤50克，白糖15克，盐3克，味精1克，胡椒粉1克，香油10克。

制作要领：药料要事先涨发软，而后装入鱼腹，蒸制时要用旺火，一气呵成。

制作工艺：将鲤鱼去鳞、鳃和内脏，洗净装盆待用。将川芎、茯苓切成大片，用二次米泔水浸泡4至6小时，天麻置米饭上蒸透，切片备用。将天麻片放入鱼头和鱼腹内，再放入姜、葱，入盆加清水适量，上笼蒸约半小时，拣去姜、葱。另用清汤、白糖、盐、味精、胡椒粉、香油烧沸后，加水豆粉勾芡，浇在天麻鱼上即成。

成菜特点：鱼肉洁白软烂，汤汁清鲜滑爽。

（六十二）乌灵参炖鸡

乌灵参炖鸡为四川省药膳。是用中药乌灵参与鸡，加料酒、葱、姜、盐等调料制成。具有补气健脾，养气安神之功效。对失眠患者有特殊疗效。

烹调类型：经炖烹制而成的鲜咸味型菜肴。

主料：鸡一只（约1000克）。

配料：乌灵参100克。

调料：料酒15克，姜10克，葱10克，盐3克。

制作要领：乌灵参要事先发软，入鸡腹炖制时要小火长时，使药入鸡肉。

制作工艺：将鸡宰杀后去毛和内脏待用。乌灵参用温水或米泔水浸泡 4 至 8 小时。取出洗净，切片，放入鸡腹内。将鸡放入砂锅，盛上清水淹过鸡，加料酒、姜、葱适量，用武火烧开，移文火清炖，至鸡熟烂时，放少许盐即成。

成菜特点：鸡肉软烂鲜香，汤汁香味酽。

（六十三）虫草鸭子

虫草鸭子为四川省著名药膳。是用中药虫草与鸭子，加料酒、姜、葱、胡椒粉、盐等调料制成。具有保肺益肾之功效。对结核、咳嗽、气喘等病均有良好疗效。

烹调类型：经蒸烹制而成的鲜咸味型菜肴。

主料：老雄鸭一只（约 1500 克）。

配料：虫草 10 克。

调料：料酒 15 克，姜 15 克，葱 15 克，胡椒粉 2 克，盐 3 克。

制作要领：虫草要放入鸭头和鸭腹肉，蒸制时要用大火上汽，小火炖制，使药和鸭肉软烂。

制作工艺：将鸭子宰杀后去毛、内脏和爪，冲洗干净，在开水锅内汆一下，再捞出用凉水洗净。虫草洗净泥沙，姜葱洗净、切片待用。将鸭头顺颈劈开，取虫草 10 枚放入鸭头内，并用线缠紧；余下虫草同调料一起放入鸭腹内，然后放入盆内，注入清水适量，上笼蒸约 2 小时即成。

成菜特点：鸭肉软烂，爽滑鲜美，汤汁味酽。

（六十四）薏苡镶藕

薏苡镶藕为四川省药膳。是用中药薏苡和桔红、百合、莲米、芡实、糯米、蜜樱桃、瓜片与鲜藕，加猪肉油、白糖等料制成。具有健脾补肺，清热利湿之功效。适用于泄泻、湿痹、水肿、脚气、肺痿、肺痈等症。

烹调类型：经蒸烹制而成的甜香味型热菜。

主料：鲜藕 100 克。

配料：薏苡 15 克，桔红 15 克，百合 15 克，莲米 15 克，芡实 15 克，糯米 120 克，蜜樱桃 30 克，瓜片 15 克，猪肉油 60 克，白糖 500 克。

制作要领：药料和糯米要浸泡软，藕孔要填实，蒸制图案要摆好。

制作工艺：取鲜藕粗壮部削去一头，内外洗净，用竹筷通孔眼，将淘洗过的糯米和部分薏苡由孔装入捣紧，再用刀背敲拍孔口，使之封闭不漏。煮熟后捞入清水中漂起，刮去外面粗皮，切成 6 厘米厚的片待用。莲米除去皮心，将剩余的薏苡、百合、芡实冲洗后放入碗中，加清水上笼蒸炽待用。瓜片，桔红切成丁；蜜樱桃切成对开。将网油修成方形，入碗；蜜樱桃摆成花纹图案，再放入瓜片，桔红丁、薏苡、百合、芡实、莲米等，将藕摆成风车形，撒上白糖、上笼蒸炽。下笼后翻盘，揭去网油，淋上白糖汁即成。

成菜特点：藕片炽烂，配料软糯，甜香可口。

（六十五）枸杞蒸鸡

枸杞蒸鸡为四川省药膳。是用中药枸杞与鸡，加料酒、胡椒粉、姜、葱、味精、盐等调料制成。具有滋补肝肾之功效。对男女肾虚、精神不振均有较好疗效。经研究枸杞具有保肝、降低血糖、降低胆固醇作用。

烹调类型：经蒸烹制而成的咸鲜味型菜肴。

主料：嫩母鸡一只（约1000克）。

配料：枸杞15克。

调料：料酒10克，胡椒粉2克，姜10克，葱10克，味精1克，盐3克，清汤100克。

制作要领：鸡要经氽过，去腥味，枸杞入鸡腹，蒸制时要封严盛鸡的容器，使药味充分入肉。

制作工艺：鸡宰杀后去毛、内脏和爪，冲洗干净。枸杞洗净，姜切成大片，葱切段待用。将鸡用沸水氽透，捞入凉水中洗净，沥尽水分。再把枸杞装入鸡腹内，腹部朝上放入盆内，摆上姜、葱，加入清汤、料酒、胡椒面，用湿棉纸封口，上笼以武火蒸约2小时。取出揭去棉纸，拣去姜、葱，放入味精即成。

成菜特点：鸡肉软烂，咸鲜适口，汤汁清淡。

（六十六）玫瑰花烤羊心

玫瑰花烤羊心为四川省药膳。是用玫瑰花与羊心，加盐、味精等调料制成。具有补心安神之功效，对心血亏虚、惊悸失眠、郁闷不适者有显著疗效。

烹调类型：经烤烹制而成的玫瑰香型菜肴。

主料：羊心500克。

配料：鲜玫瑰50克（或干玫瑰15克）。

调料：盐5克，味精1克。

制作要领：羊心片块不宜厚，炸制时要多次蘸玫瑰汁，使玫瑰汁更好浸入羊心。

制作工艺：玫瑰放入铝锅内，加盐、清水适量，煎煮10分钟，收汁液三次。羊心洗净切成块，串在竹签上，蘸玫瑰盐水汁反复在火上烤炙。烤熟撒上味精趁热食用。

成菜特点：肉质酥烂，焦香可口，玫瑰香浓。

（六十七）虫草金龟

虫草金龟为四川省药膳。是用中药虫草和金钱龟、鸡肉、猪肉、火腿、沙参，加猪油、盐、味精、胡椒粉、料酒、姜、葱等调料制成。具有补虚益气、滋阴补血之功效。对久病体虚、阳痿遗精、久嗽咯血、肺虚燥咳有较好疗效。

烹调类型：经炒、蒸烹制而成的鲜香味型菜肴。

主料：金钱龟1000克。

配料：虫草5克，沙参6克，火腿25克，鸡肉500克，瘦猪肉100克。

调料：猪油50克，姜15克，葱15克，料酒15克，鸡汤50克，味精1克，胡椒粉2克，盐3克。

制作要领：龟肉要经沸水氽过，去腥味，蒸前要先煸炒，最后再放药料同龟蒸制。蒸时要旺火上汽，小火蒸烂。

制作工艺：将金龟放入盆中，倒入开水烫约2至3分钟，取出，从颈后下刀，去壳、头和爪尖，刮去黄皮，用清水洗净后，剁成数块。把瘦猪肉和龟肉用沸水氽透捞出，再用温开水洗净。沙参用温水焖透，切片待用。猪油烧热，放入姜葱煸出香味，倒入龟肉煸炒，加料酒和沸水，煮3至5分钟后捞出。再取大盆1个，将沙参放底部，龟肉盖上面，虫草放四周，火腿、瘦肉、鸡肉亦放四周，加入鸡汤、姜、葱、料酒、味精，盖好，上笼蒸炬。出笼后拣出火腿、姜、葱、瘦肉、鸡肉，加盐、胡椒粉、味精入盆即成。

成菜特点：肉质炬烂，汤汁爽滑，鲜香味美。

（六十八）蟠龙黄鱼

蟠龙黄鱼为四川省药膳。是用黄鱼（石首鱼）与中药黄芪、党参、枸杞等，配水发冬菇、冬笋片，加白糖、料酒、盐、酱油、猪油、菜油、葱、蒜等调料制成。具有开胃、填精、益气、补肾之功效。

烹调类型：经炸制而成的甜味型菜肴。

主料：黄鱼 500 克。

配料：枸杞 5 克，黄芪 10 克，党参 6 克，水发香菇 15 克，冬笋片 15 克。

调料：清汤 500 克，猪油 20 克，菜油 1000 克，白糖 25 克，料酒 10 克，盐 2 克，酱油 10 克，葱 10 克，蒜 10 克，味精 1 克，水豆粉 15 克，姜汁 20 克。

制作要领：黄鱼和药料要分锅烹制，黄鱼要炸熟；药料和配料要煨制，最后汇一盘，以突出各自风味。

制作工艺：鱼去鳞、鳃和内脏，洗净，在鱼身两面斜刀划成十字花刀；香菇一切两半。生姜洗净切片；大葱洗净切橄榄形；大蒜去皮切片。铁锅置旺火上，放入猪油、白糖炒成枣红色时，下入治净炸好的黄鱼，拌匀后装盘。党参、黄芪、枸杞捞入锅内，再放笋片、香菇，烧沸煨好，撇去油沫，调入味精推匀，用水豆粉勾芡，淋明油，将汁浇在鱼上即成。

成菜特点：黄鱼酥烂，甜鲜味美，爽滑可口。

（六十九）党参鸭条

党参鸭条为四川省药膳。是用中药党参、陈皮与鸭子，配猪瘦肉，加味精、盐、料酒、酱油、姜、葱、菜油、鸡汤等调料制成。具有补中益气，利水消肿之功效。对脾胃虚弱、久病体弱、气衰血虚之症有显著疗效。

烹调类型：经炸、焖烹制而成的鲜咸味型菜肴。

主料：老鸭一只（约1500克）。

配料：党参15克，陈皮10克，黄芪10克，猪瘦肉100克。

调料：味精1克，盐3克，料酒10克，酱油20克，姜10克，葱15克，菜油1000克，鸡汤750克。

制作要领：鸭要先炸后与药料焖制，砂锅焖要用小火，使药浸入鸭肉中。

制作工艺：鸭子宰杀后，去毛、内脏和爪洗净，沥干水分。鸭皮上用酱油抹匀，入油锅炸至皮黄时捞出；用温水洗净油腻，盛入砂锅内（锅底垫上碟子）。猪瘦肉切成块，沸水里氽一下捞起，放入鸭腹内，加入料酒、姜片、葱段、党参、陈皮、黄芪、盐、味精、酱油、鸡汤。将砂锅置文火上焖到鸭子熟时，取出药物和调料。去鸭骨后，切条装碗，加入原汤即成。

成菜特点：色泽红润，软烂鲜香。

（七十）东坡肘子

东坡肘子为四川省药膳。是用中药砂仁与猪肘子，加葱、姜、花椒、料酒、香油、酱油、白糖、红糖、醋、盐等调料制成。具有滋阴润燥，化湿醒脾之功效。对脾胃虚弱、食呆气滞、妊娠胎动等症有较好疗效。

烹调类型：经煨烹制而成的鲜咸味型菜肴。

主料：猪肘子1500克。

配料：砂仁10克。

调料：葱10克，姜10克，花椒2克，料酒15克，香油10

克，红糖15克，酱油20克，醋10克，白糖15克，盐2克。

制作要领：猪肘要经氽水去血污。和砂仁煨炖时要先旺火，后小火，使药充分入肉。

制作工艺：将肘子镊尽毛，刮洗干净，用竹针扎满小孔。姜、葱洗净，切成姜丝和葱段。将猪肘放入沸水锅氽去血水捞出，沥干水分。在肉表面抹上红糖和香油，撒上砂仁粉。生姜、葱段、白糖、酱油、料酒、醋、盐放入锅底垫有骨头的砂锅内，武火烧开，文火煨炖，直到肉黄肘烂即成。

成菜特点：肘肉红亮，软烂粘滑，咸鲜适口。

（七十一）菊花火锅鱼片

菊花火锅鱼片为四川省药膳。是用鲜白菊花与鲤鱼，配鸡汤、味精、醋、姜、葱、盐、料酒等调料制成。具有利尿消肿、清热解毒、止咳下气之功效。对治疗水肿有特效。

烹调类型：经煮烹制而成的鲜味型菜肴。

主料：鲤鱼1500克。

配料：鲜白菊花300克。

调料：鸡汤3000克，味精0.5克，醋15克，姜15克，葱15克，盐2克，料酒10克。

制作要领：鱼片要片成大薄片，菊花要选鲜嫩瓣，涮制时要用旺火沸水。

制作工艺：点燃火锅，烧开鸡汤备用。将菊花瓣在温水中漂洗20分钟左右。捞出，再放入溶有稀矾温水中漂洗，捞出沥水待用。鱼去鳞洗净，切成薄片。食时，将鱼片夹入火锅，盖上盖煮3至5分钟，再放入菊花瓣。蘸上用醋、姜、葱、盐、味精、料酒配成的味汁，即可食用。

成菜特点：鱼肉鲜嫩，鲜香馥郁，汤清味酽。

（七十二）菊花肉片

菊花肉片为四川省著名药膳。是用鲜菊花与猪肉，加盐、白糖、料酒、胡椒粉、香油、姜、葱、豆粉、骨头汤等调料制成。具有补养五脏，祛风明目之功效。对高血压、头晕等症有疗效，还是防治老年性疾病的良药。

烹调类型：经炒烹制而成的鲜咸味型菜肴。

主料：猪瘦肉 300 克。

配料：鲜菊花 50 克。

调料：猪油 100 克，骨头汤 50 克，胡椒粉 2 克，料酒 15 克，鸡蛋一个，姜 10 克，葱 10 克，盐 3 克，味精 1.5 克，香油 5 克，豆粉 25 克，白糖 15 克。

肉片要薄，划油时要用温油，才使肉片洁白。肉片炒好后再放菊花，以使菊花鲜香。

制作工艺：将瘦猪肉切成薄片，菊花取用花瓣，用清水洗净，用凉水泡起。姜、葱洗净，姜切片，葱切节。鸡蛋去黄，将肉片用蛋清、盐、料酒、味精、胡椒粉、豆粉调匀。将骨头汤、白糖、盐、胡椒粉、味精、水豆粉、香油兑成汁待用。炒锅烧热，放入猪油，待油五成热（约 110℃）时，下肉片滑透即起锅，倒入漏勺控油。锅置火上，放猪油烧热，下姜、葱稍煸，随即倒入肉片，烹入料酒、滋汁，翻炒几下，放菊花瓣，翻炒均匀起锅即成。

成菜特点：肉片鲜嫩，软滑可口，菊香浓郁。

（七十三）龙眼纸包鸡

龙眼纸包鸡为四川省药膳。是用中药龙眼与嫩鸡肉，配核桃仁、鸡蛋、芫荽、火腿，加食盐、味精、胡椒粉、豆粉、芝麻油、菜油、生姜、葱等调料制成。具有温中益气，补肾固精之功效。适用于虚烦失眠、脑力衰退等症。

烹调类型：经炸烹制而成的鲜咸味型菜肴。

主料：嫩鸡肉 500 克。

配料：龙眼肉 20 克，核桃仁 10 克，芫荽 10 克，火腿 15 克。

调料：食盐 3 克，胡椒粉 2 克，鸡蛋 2 个，豆粉 15 克，芝麻油 5 克，菜油 500 克，生姜 5 克，葱 5 克，白糖 10 克，味精 1 克。

制作要领：核桃仁要去内衣，以防涩苦。鸡片要片薄浆好。纸包不宜过大，以防炸制熟不透，影响质量。

制作工艺：将鸡肉去皮，切成 1 毫米厚的片；核桃仁用沸水泡后，去皮，放入油锅内炸熟，切成细粒；芫荽择洗干净；龙眼肉用温水洗净，切成粒；姜、葱洗净后，切末；火腿切成小片；鸡蛋去黄留清，加豆粉调成蛋清糊。将鸡片用盐、白糖、味精、胡椒粉、芝麻油、姜葱末、核桃仁、龙眼肉、蛋清糊少许调匀后，将玻璃纸放在案板上，折成长方形块，将挂好糊的鸡片包入纸中。将菜籽油放入锅中，烧至五成热（125℃）时，把包好的鸡肉下锅炸熟，捞出装盘即成。

成菜特点：鸡肉软嫩，鲜咸适口。

（七十四）软炸淮药兔

软炸淮药兔为四川省药膳。是用中药淮山药粉与兔肉，加菜油、料酒、盐、味精、花椒粉、红酱油等调料制成。具有补中益气、健脾补肺之功效。适用于肺虚存热、脾胃虚弱等症。

烹调类型：经炸烹制而成的酥香味型菜肴。

主料：兔肉 300 克。

配料：淮山药粉 30 克。

调料：菜油 1500 克，料酒 10 克，味精 1 克，红酱油 10 克，盐 5 克，花椒粉 20 克。

制作要领：山药粉要细，要调成糊，兔丁不宜大，炸制时要用热油，但要注意炸制时间。

制作工艺：将兔肉切成 2 厘米大小的方丁，放入容器中，加入料酒、盐、红酱油、味精拌匀，撒入山药粉，拌至每块都均匀地粘牢糊浆。将菜油入锅烧至八成热（约 200℃）时，将兔块放入油锅内略炸，用漏勺翻动兔块，使之不粘连。待炸至金黄色，兔块浮起时，捞出沥干油装盘即成。食用时撒上椒盐或配上椒盐碟均可。

成菜特点：兔肉皮脆，肉嫩酥香，椒盐味浓。

（七十五）银杏鸡丁

银杏鸡丁为四川省药膳。是用银杏与嫩鸡肉，加蛋清、食盐、白糖、料酒、味精、豆粉、芝麻油、猪油、葱、清汤等调料制成。具有定咳喘、止带浊之功效。适用于老年咳嗽、哮喘，小便频数，崩漏带下等症。

烹调类型：经炒烹制而成的鲜咸味型菜肴。

主料：嫩鸡肉 500 克。

配料：银杏 200 克。

调料：蛋清 40 克，食盐 3 克，白糖 10 克，料酒 20 克，豆粉 15 克，清汤 50 克，猪油 100 克，芝麻油 5 克，葱 10 克。

制作要领：白果仁要去心，要先经油炸后再炒，鸡丁要在温油中划熟，色才白嫩。

制作工艺：将鸡肉切成方丁，放入碗内，加入蛋清、盐、豆粉拌合上浆；白果去壳，下油锅爆至六成熟时，捞出去皮洗净待用。将炒锅烧热，放入猪油，待油烧至六成热（约132℃）时，将鸡丁下锅炒散，放入白果炒匀，炒至熟，倒入漏勺控去油。锅内留下底油25克，投入葱段炒香，放入料酒、汤、盐、白糖、味精，倒入鸡丁和白果，翻炒后勾芡推匀，淋入芝麻油颠翻几下，起锅装盘即成。

成菜特点：鸡肉酥嫩，白果软糯，鲜咸可口。

（七十六）九月鸡片

九月鸡片为四川省药膳。是用鲜菊花与鸡脯肉，加蛋清、盐、白糖、鸡汤、料酒、胡椒粉、芝麻油、生姜、葱、水豆粉、玉米粉等调料制成。具有补养五脏，祛风明目，益血润容之功效。适用于疮疽痈肿、风火眼赤、高血压、头晕等症。

烹调类型：经炒烹制而成的甜咸味型菜肴

主料：鸡脯肉400克。

配料：鲜菊花片100克。

调料：蛋清60克，鸡汤50克，盐3克，胡椒粉2克，味精1克，白糖15克，豆粉15克，玉米粉20克，猪油100克，姜10克，葱10克，料酒10克，芝麻油5克。

制作要领：鸡片要用温油划熟，炒制出锅前再放入菊花，以使花瓣鲜嫩。

制作工艺：将鸡脯去皮、筋后切成薄片，用蛋清、盐、味精、胡椒粉、玉米粉调匀浆好；鲜菊花片用清水洗净，放入凉水中漂起待用；姜、葱洗净，切成指甲片；用盐、白糖、鸡汤、胡椒粉、味精、水豆粉、芝麻油兑成汁。炒锅烧热，放入猪油，待油烧至五成热（约110℃）时，投入鸡肉片，滑散滑透，倒入漏勺控去油。锅置火上，放入热油50克，下入姜、葱炒香，倒入鸡肉片，烹入料酒，倒入兑好的滋汁，翻炒几下，放入菊花片，翻炒均匀起锅即成。

成菜特点：鸡片软嫩滑爽，花片清鲜脆香。

（七十七）解暑酱包兔

解暑酱包兔为四川省药膳。是用佩兰叶与兔肉，加料酒、白糖、苏打粉 盐、豆粉、味精、甜酱、红酱油、猪油、芝麻、葱、姜、白汤等调料制成。具有补中益气、醒脾化湿、清热解暑之功效。适用于暑热伤阴、食呆气滞、食欲不振等症。

烹调类型：经炒烹制而成鲜咸味型菜肴。

主料：兔肉200克。

配料：佩兰叶5克。

调料：料酒10克，豆粉20克，苏打粉2克，猪油150克，盐2克，鸡蛋1个，甜酱10克，葱10克，姜10克，酱油15克，白糖10克，味精1克，白汤50克，芝麻油5克。

制作要领：兔肉要切薄片，佩兰叶煎熬汁不宜多。炸制时要用温油浸炸。芡汁宜稠不宜稀，才能裹住兔肉。

制作工艺：将兔肉去骨切成3厘米长、1厘米宽的薄片；佩兰叶熬成适量的汁待用。将兔肉加盐拌匀后，用佩兰叶汁调入豆粉搅拌至兔肉片吸尽水，再加入鸡蛋搅拌，使之均匀地粘牢在兔肉片上。搅拌均匀后，放入苏打粉、猪油拌匀。将炒锅烧热，加入猪油，烧至五成热（约110℃）时，投入兔内片，滑炒至断生时，倒入漏勺控去油，将炒锅烧热，用油滑锅，留50克底油，放入甜酱、葱姜米，拌至酱细腻无颗粒、出香味时，再放入用料酒、白糖、味精、酱油、白汤兑好的汁，收好滋汁，放入兔肉片，淋少许猪油，离火翻炒至酱包牢兔肉，加芝麻油，出锅装盘即成。

成菜特点：兔肉鲜嫩，爽滑可口，芡汁鲜浓。

（七十八）枸杞肉丝

枸杞肉丝为四川省药膳。是用枸杞与瘦猪肉、熟青笋，加猪油、盐、白糖、味精、料酒、芝麻油、酱油、水豆粉等调料制成。具有滋肝补肾、抗老益寿之功效。适用于体弱乏力、贫血昏花、视物模糊、肾虚阳萎等症。

烹调类型：经炒烹制而成的甜咸味型菜肴。

主料：瘦猪肉500克。

配料：枸杞10克，熟青笋100克。

调料：猪油50克，盐3克，料酒15克，白糖20克，酱油10克，味精1克，芝麻油10克，汤50克。

制作要领：枸杞要浸泡软，肉丝要用温油划熟，炒制时要热锅热油炒制。

制作工艺：将猪瘦肉洗净，剔去筋膜，切成长丝；青笋切成同样长的细丝；枸杞洗净待用。将炒锅烧热，用油滑锅，放入猪油，待油烧至六成热（约132℃）时，放入肉丝炒散，再放入青笋划散，烹入料酒，下入白糖、酱油、盐、汤、味精炒匀，投入枸杞，颠翻几下，淋少许芝麻油推匀，起锅装盘即成。

成菜特点：肉丝白嫩，枸杞色红，青笋碧绿，色彩和谐，鲜咸适口。

（七十九）枸杞桃仁鸡丁

枸杞桃仁鸡丁为四川省药膳。是用枸杞、核桃仁与嫩鸡肉，加蛋清、盐、味精、猪油、胡椒粉、白糖、鸡汤、料酒、姜、葱、芝麻油等调料制成。具有补肾强腰，明目益颜之功效。适用于精血不足、虚劳咳喘等症。

烹调类型：经炒烹制而成鲜咸味型菜肴。

主料：嫩鸡肉 600 克。

配料：核桃仁 50 克，枸杞 15 克。

调料：蛋清 60 克，盐 3 克，味精 1 克，白糖 15 克，胡椒粉 2 克，鸡汤 50 克，芝麻油 10 克，豆粉 15 克，料酒 10 克，猪油 150 克，姜 10 克，葱 10 克，蒜 10 克。

制作要领：切鸡丁时要先切片剞花刀后再切丁，便于入味和成熟。炒制要热油快炒，快出锅前再倒入泡软的枸杞和炸熟的桃仁。

制作工艺：将鸡肉切成 1 厘米见方的丁；枸杞洗净；桃仁用开水泡后去皮；姜、葱、蒜洗净后均切成指甲片。把鸡丁用盐、蛋清、豆粉、料酒拌匀；用盐、味精、白糖、胡椒粉、鸡汤、芝麻油、水豆粉兑成滋汁备用。将去皮的桃仁用温油炸透，兑入枸杞，起锅沥油。锅烧热下入猪油，烧至五成热（约 110℃）时，投入鸡丁，快速滑透，倒入漏勺控去油；锅再置火上，放热油 50 克，投入姜、葱、蒜片稍炒，再投入鸡丁，随即倒入滋汁速炒，倒入桃仁和枸杞炒匀即成。

成菜特点：白红相间，鲜香味美。

（八十）笋煸枸杞叶

笋煸枸杞叶为四川省药膳。是用鲜枸杞叶与冬笋、冬菇，加白糖、盐、味精、猪油等调料制成。具有补肾益精，祛风明目之功效。适用于虚劳发热、目赤昏痛、热座疮肿等症。

烹调类型：经煸烹制而成的清香味型菜肴。

主料：鲜枸杞叶 250 克，冬笋 50 克，水发冬菇 50 克。

调料：猪油 50 克，盐 2 克，白糖 15 克，味精 0.5 克。

制作要领：要选鲜嫩笋和枸杞叶，炒制时要热锅热油，快速翻炒出锅，以使成菜清鲜脆嫩。

制作工艺：将枸杞叶择洗干净，冬笋切成细丝，冬菇切成丝备用。炒锅烧热，放入猪油，待油烧至七成热（约 154℃）时，把冬笋丝和冬菇丝放入锅内，略炒后即倒入枸杞叶，煸炒颠翻几下，加入盐、味精、白糖，再翻炒几下起锅即成。

成菜特点：三丝鲜嫩，白、褐、绿相间，色彩和谐。

（八十一）砂仁鲫鱼

砂仁鲫鱼为四川省药膳。是用中药砂仁、陈皮、荜拨，与大鲫鱼，加胡椒、辣椒、葱、生姜、大蒜、食盐、小茴香、菜油等调料制成。具有健脾润燥，行气利水之功效。适用于脾胃虚弱、食少腹胀、腹痛泄泻等症。

烹调类型：经煎、煮烹制而成的鲜香味型菜肴。

主料：大鲫鱼 1000 克。

配料：砂仁 6 克，陈皮 3 克，荜拨 3 克。

调料：胡椒 2 克，辣椒 5 克，小茴香 3 克，葱段 10 克，姜 10 克，蒜 10 克，食盐 3 克，菜油 250 克，清汤 250 克。

制作要领：要去净鲫鱼腹内里膜，药料要装入腹内，煎制时油料不宜过多，煮制时要控制加水量，用小火煮透。

制作工艺：将鲫鱼去鳃、鳞、鳍、剖去内脏，洗净；将胡椒研细，同辣椒、陈皮、砂仁、荜拨、小茴香、葱段、姜片、蒜片等加食盐和匀，装入鱼腹内。炒锅放入菜油，待油七成热（约175℃）时，将鲫鱼下油中煎制，待鱼色金黄，捞出沥去油；将锅内放熟油少许，煸姜、葱，注入清汤，调好味后，鲫鱼下汤内煮，至熟起锅即成。

成菜特点：鱼色金黄，肉质酥烂，口味鲜香。

（八十二）参芪鸭条

参芪鸭条为四川省药膳。是用中药党参、黄芪、陈皮与鸭子，配猪夹心肉，加味精、食盐、料酒、酱油、生姜、葱段、菜油、上汤等调料制成。具有补中益气，利水消肿之功效。适用于脾胃虚弱、劳热骨蒸、气衰血虚等症。

烹调类型：经炸、焖烹制而成的鲜咸味型菜肴。

主料：鸭子一只（约1500克）。

配料：党参15克，黄芪25克，陈皮10克，猪夹心肉100克。

调料：味精1克，食盐3克，料酒10克，酱油25克，姜10克，葱10克，菜油500克，上汤750克。

制作要领：鸭和药料入砂锅焖制时，砂锅要垫底箅，以防粘锅，用小火㸆炖，使药充分入鸭肉。

制作工艺：将鸭子宰杀后去毛、内脏和爪，洗净沥干水分；鸭皮上用酱油抹匀，下入油锅，炸至皮色金黄捞出；用温水洗去油腻，盛入砂锅中（锅底垫上瓦碟）。将猪夹心肉切成块，放入沸水中氽一下捞起，洗净血水，放入鸭子腹内，加入料酒、姜片、葱段、党参、黄芪、陈皮丝、盐、味精、酱油及上汤，将砂锅放于炉上，用中火烧沸，移文火焖到鸭子烂时取出，滗出原汤滤净待用。将鸭子剔去大骨，斩成手指粗的条块，放入大汤碗内，注入原汤即成。

成菜特点：色泽金黄，肉质鲜嫩，滑爽可口。

（八十三）枣杏焖鸭

枣杏焖鸭为四川省药膳。是用红枣、杏仁、栗子、核桃仁与肥嫩鸭子，加姜、葱、料酒、味精、盐、芝麻酱、白糖、猪油、水豆粉等调料制成。具有温中益气，补精益髓之功效。适用于胃虚食少、气血津液不足等症。

烹调类型：经焖烹制而成的鲜咸味型菜肴。

主料：肥嫩鸭子一只（约1500克）。

配料：红枣5枚，杏仁10克，栗子200克，核桃仁20克。

调料：姜丝10克，葱段10克，料酒10克，味精1克，盐5克，芝麻酱15克，白糖25克，猪油100克，豆粉15克，白汤750克。

制作要领：鸭块先煸后同药料同焖，要小火焖透，旺火收汁，使药料入鸭肉中。

制作工艺：将桃仁、杏仁用沸水烫后去皮，沥干水分，放入四成热（约88℃）油锅中炸至金黄色，捞出晾冷，研成碎末待用。将栗子斩成两半，放入沸水锅中，煮到壳衣可剥离时，捞出去壳衣。将鸭子宰杀后，去毛和内脏，洗净剁成3厘米的方块。炒锅烧热，放入猪油，旺火烧至六成热（约132℃）时，放入鸭块，煸至皮呈黄色，放入姜、葱、料酒、酱油和白糖；鸭块烧至上色，放入白汤、红枣、桃仁等烧沸，移文火加盖焖1小时左右，推入栗子，再焖15分钟，至鸭肉酥烂，再置旺火上滚浓卤汁。先捞出鸭块入碗摆齐，再捞出栗子放在鸭块上面，盖上大盘或汤碗，翻扣过来；在滚浓的卤汁中，放入芝麻油，淋少许水豆粉，勾成薄芡，放少许熟猪油，推匀浇在鸭块上，洒上杏仁粉即成。

成菜特点：鸭肉酥烂，配料软糯，爽滑可口。

（八十四）枣蔻煨肘

枣蔻煨肘为四川省药膳。是用红枣、豆蔻与猪肘，加冰糖烹制而成的。具有补脾和胃，益气生津之功效。适用于呕吐、泄泻、月经失调等症。

烹调类型：经煨烹制而成的甜鲜味型菜肴。

主料：猪肘子 1000 克。

配料：红枣 60 克，红豆蔻 10 克。

调料：冰糖 180 克。

制作要领：猪肘煨时要注意加水量和煨制时间，中途勿加水，以防影响成菜质量。

制作工艺：将猪肘刮洗干净，去净毛桩，放入沸水锅内汆去腥味；红枣洗净，红豆蔻拍破，用干净纱布袋装好、扎口待用。在砂锅底垫上几片瓷瓦片，加清水适量，放入猪肘子，置武火烧沸，撇去浮沫；另将冰糖三分之一炒成深黄色糖汁，连同其余冰糖、红枣、豆蔻入锅内煮 1 小时，移文火慢煨 2 小时，待肘子煨烂，取出豆蔻不用，起锅装盘即成。

成菜特点：肘皮红润，肉质酥烂，甜鲜利口。

（八十五）黄精煨肘

黄精煨肘为四川省药膳。是用中药黄精、党参与猪肘、红枣，加生姜制成，具有补脾润肺。适用于脾胃虚弱、饮食不振、肺虚咳嗽、病后体虚等症。

烹调类型：经煨烹制而成鲜香味型菜肴。

主料：猪肘子750克。

配料：黄精9克，党参6克，红枣5枚。

调料：生姜25克。

制作要领：猪肘要先氽水，去腥，而后再同药料袋入砂锅慢煨，使药入肘中，但要防止肘皮胶质大而粘砂锅底。

制作工艺：将猪肘子除净毛，刮洗干净；黄精切成薄片，党参成节，一起用纱布袋装好扎口；大枣洗净，生姜拍破待用。将以上药物和食物放入砂锅中，加清水适量，置旺火烧沸，撇去浮沫，移文火煨至汁浓、肘炬为止。起锅时捞去药包不用，将肘、红枣、汤装碗即成。

成菜特点：肘肉炬烂鲜香，红枣软糯。

（八十六）荷叶粉蒸鸡

荷叶粉蒸鸡为四川省药膳。是用荷叶与鸡肉、猪肥膘肉、炒米粉，加酱油、盐、白糖、味精、料酒、汤等调料制成。具有温中益气，解暑清热之功效。适用于中虚食少、夏暑泄泻、虚痨羸瘦等症。

烹调类型：经蒸烹制而成的清香味型菜肴。

主料：嫩鸡一只（约1250克）。

配料：鲜荷叶一张，猪肥膘肉150克，炒米粉100克。

调料：汤50克，酱油10克，盐3克，白糖20克，味精1克，料酒10克。

制作要领：鸡肉要氽，虫草要泡软，蒸制时要用旺火，使药充分入鸡肉中。

制作工艺：将鸡洗净，剔去骨，剁去爪；将猪肉切成长6厘米、宽3厘米、厚3毫米的片，加调料、汤拌匀，再加米粉拌合均匀，干湿适度；再将肥膘肉切成3厘米见方的片备用。荷叶洗净揩干，放在案板上，每块鸡片夹放一片肥膘肉，折转口向下，分成四行整齐排列在荷叶中央，然后把荷叶包好，放入盘内，上笼用武火蒸40分钟，取出打开荷叶，扣入盘内（荷叶不用），即成。

成菜特点：肉质软烂，糯米香糯，荷香味浓。

（八十七）虫草汽锅鸡

虫草汽锅鸡为四川省药膳。是用中药虫草与鸡肉，加胡椒粉、味精、生姜、葱白、食盐等调料制成。具有肺肾双补，益气补血之功效。适用于咳嗽哮喘、脾胃不适等症。

烹调类型：经蒸烹制而成的鲜咸味型菜肴。

主料：鸡肉500克。

配料：虫草2.5克。

调料：胡椒粉2克，味精0.5克，生姜20克，葱白20克，盐2克。

制作工艺：将鸡肉洗净，剁成2.5厘米见方的块；沸水锅内，下入生姜、葱、胡椒等稍煮，再放入鸡肉块氽去血水，至肉变色时，捞出，沥干水分，放入蒸碗内备用。虫草去灰渣，挑出中等粗细的6～7条，用清水漂洗后，分散摆在鸡肉面上，加姜、葱少许，掺清水适量，加盖用武火上笼蒸约1个半小时取出，滗去原汁，加盐、胡椒调味，再倒入汽锅内，加盖原锅上席即成。

成菜特点：肉质软烂，汤汁粘滑，鲜咸适口。

（八十八）银耳羹

银耳羹为四川省药膳。是用银耳、冰糖、蛋清、猪油等制成。具有养阴润肺，益气生津。适用于肺虚久咳、久病体弱、高血压、血管硬化等症。

烹调类型：经熬烹制而成的甜味型菜肴。

主料：干银耳 50 克。

配料：蛋清 20 克。

调料：冰糖 60 克，猪油 25 克。

制作要领：银耳和冰糖要分锅炖制，都要用小火炖粘和冰糖溶化，出锅前汇一锅内装汤碗。

制作工艺：把干银耳放在盆内，加温水（50～60℃）浸泡约 20 分钟，待发透后，摘去蒂头，择尽杂质，洗净，用手撕成瓣片，倒入铝锅中，加水适量，置武火上烧沸后，移文火上熬 2～3 小时，至银耳炽软、粘稠为止。冰糖放入另一锅中，加水适量，置火上溶化后成汁，用纱布过滤后，将蛋清盛于碗中，兑入清水少许搅匀，倒入锅中搅拌，待烧沸后，打去浮沫，将糖汁缓缓冲入银耳锅内即成。

成菜特点：银耳雪白，软烂粘滑，清香蜜甜。

（八十九）清脑羹

清脑羹为四川省药膳。是用中药杜仲、银耳与冰糖烹制而成。具有滋补肝肾，补养气血之功效。适用于失眠、头昏、头痛、腰膝痿软、高血压等症。

烹调类型：经熬烹制而成甜味型菜肴。

主料：干银耳 50 克。

配料：炙杜仲 50 克。

调料：冰糖 250 克。

制作要领：木耳要泡软去蒂，和杜仲汁一起慢火熬粘，杜耳相溶。

制作工艺：将炙杜仲煎熬 3 次，取其药汁 5000 毫升备用。将干银耳用温水发透，择去杂质，揉碎，淘洗干净，冰糖用水溶化后，置文火上熬至色微黄时，过滤去渣待用。在铝锅内放入杜仲药汁，下入银耳，视其银耳，质量及胀发情况，加入适量清水，置旺火上烧沸后，移文火上熬制，至银耳炽烂(约 3～4 小时)，再冲入冰糖，略煮即成。

成菜特点：银耳雪白煺滑，汤汁甜香粘浓。

（九十）银耳鸽蛋汤

银耳鸽蛋汤为四川省药膳。是用银耳与鸽蛋，加冰糖制成。具有补肺益气，养阴润燥。适用于病后体虚、肺虚久咳、痰中带血、大便秘结、高血压等症。

烹调类型：经熬烹制而成的甜味型菜肴。

主料：干银耳 50 克，鸽蛋 20 个。

调料：冰糖 250 克。

制作要领：银耳要泡软去蒂，要熬至粘烂，鸽蛋先入笼蒸后再烩入银耳汤中。

制作工艺：将干银耳用水发胀后，除去蒂和杂质，撕成小朵，放入铝锅内，加清水适量，熬至软烂待用。在 20 个酒杯里淋上猪油，将鸽蛋分别打入杯内，上笼用文火蒸 3 分钟左右，出笼将鸽蛋取出，放入清水中漂起备用。将银耳羹烧开，放入冰糖，待溶化后，打去浮沫，把鸽蛋下入锅内，煮沸起锅即成。

成菜特点：银耳雪白，软烂爽滑；鸽蛋白嫩，软糯可口。

（九十一）银杞明目汤

银杞明目汤为四川省药膳。是用中药枸杞与水发银耳、鸡肝、茉莉花，加料酒、生姜汁、盐、味精、豆粉、清汤等调料制成。具有补肝益肾，明目养颜之功效。适用于肝 肾不足、视物模糊、两眼昏花等症。

烹调类型：经煮烹制而成的鲜香味型菜肴。

主料：鸡肝 100 克。

配料：水发银耳 15 克，枸杞 5 克，茉莉花 24 朵。

调料：料酒 10 克，生姜汁 10 克，盐 2 克，味精 0.5 克，豆粉 10 克，清汤 250 克。

制作要领：鸡肝氽制时要用沸汤，先下主料，后下配料，煮制时间不宜过长，以防鸡肝老，银耳不酥脆。

制作工艺：将鸡肝洗净切成薄片，放入碗中，加入水豆粉、料酒、姜汁、盐浆匀待用。将银耳洗净，撕成小片，用清水浸泡备用。茉莉花择去花蒂洗净，放入盘内；枸杞洗净。将汤勺置火上，放入清汤，调入料酒、姜汁、盐、味精，随即下入银耳、鸡肝 、枸杞，烧沸后，撇去浮沫，待鸡肝刚熟时，立即盛入碗中，撒上茉莉花即成。

成菜特点：白、褐、红三色相间；鲜、嫩、炽、爽滑利口。

（九十二）菊茉鸡片

菊茉鸡片为四川省药膳。是选用菊花、茉莉花与鸡脯肉、小白菜、花茶叶，加蛋清、味精、盐、胡椒粉、清汤等调料制成。具有补中益气，清肝明目之功效。适用于头昏晕、目干涩、视物模糊等症。

烹调类型：经煮烹制而成的清香味型菜肴。

主料：鸡脯肉 300 克。

配料：菊花 3 朵，茉莉花 70 朵，花茶叶 15 克，小白菜 500 克。

调料：清汤 500 克，蛋清 15 克，豆粉 10 克，盐 3 克，味精 1 克，胡椒粉 2 克。

制作要领：汆鸡片时水要沸，在锅内停留时间不宜长，以防肉老。菊花、茉莉花浸泡时水温不宜超过 90℃，以防损坏花中成分。

制作工艺：将鸡脯肉剔去筋膜，切成薄片，用凉水漂上；小白菜削去帮，抽去筋，洗净，用沸水烫熟后，捞入凉水漂起；用蛋清豆粉调成稀糊待用；取茉莉花 50 朵，每 5 朵用细铜丝穿成一串备用。捞出鸡片沥去水，用盐、味精拌匀，用蛋糊浆好；另用锅加水烧沸后离火，把鸡片放入沸水中汆熟，捞入清汤内。泡上茉莉花，用碟装上，用玻璃杯盖上。食用时，把茶叶用沸水泡上，锅内注入清汤，下入小白菜（挤净水分）、盐、胡椒粉、味精，烧沸入味，捞出放在盘子周围，同时将茶水滗去，另冲入沸水。在锅内注入清汤，加盐、味精、胡椒粉，把菊花和 20 朵茉莉花下入汤内烫一下，捞出不用。再下入鸡片（原汤不用）等汤沸后，下入少许茶水（约汤的三分之一），浇在小白菜上即成。

成菜特点：鸡片白嫩滑爽，小白菜碧绿清鲜，有菊茉清香味。

（九十三）川贝雪梨

川贝雪梨为四川省药膳。是用中药川贝与雪梨、糯米、冬瓜条，加冰糖、白矾等制成。具有润肺消痰，降火除热之功效。对咳嗽、肺结核有疗效。

烹调类型：经蒸烹制而成的甜味型菜肴。

主料：雪梨 6 个。

配料：川贝 12 克，糯米 100 克，冬瓜条 100 克。

调料：冰糖 180 克，白矾 2 克。

制作要领：糯米要泡软，梨挖核勿多伤肉，瓤入馅料不宜过多，蒸制要酥烂。

制作工艺：将糯米蒸成米饭，瓜条切成黄豆大的颗粒，川贝砸碎，白矾溶化待用。将梨子去皮后从蒂处切一段为盖，用小刀将梨心挖掉后浸在白矾水中，以防变色和增强止咳效果。然后将梨在沸水中烫一下，捞入凉水中冲凉后，捞出沥干水分。将糯米饭、冬瓜条和冰糖的一半和匀装入梨内，把梨盖好，上笼蒸约 50 分钟；将另一半冰糖溶化后收成浓汁，待梨出笼后，逐个浇在梨子上面即成。

成菜特点：雪梨软滑，糯米软糯，清香味醇。

（九十四）淮药芝麻酥

淮药芝麻酥为四川省药膳。是用中药淮山药与黑芝麻，加白糖、清油制成。具有健脾止泻，润肺止咳之功效。

烹调类型：经炸烹制而成的麻香味型菜肴。

主料：鲜淮山药 250 克。

配料：黑芝麻 10 克。

调料：白糖100克，清油300克。

制作要领：熬糖时不宜火大，以防焦化味苦。

制作工艺：将淮山药削去皮，切成菱角块，放入六成热（约150℃）的油锅内，翻炸至外硬中间酥软、浮上油面时，捞出待用。将炒锅置火上烧热，用油滑锅后，放入白糖，加少许清水将糖溶化，熬至糖成米黄色时，倒入山药块，并不停地翻炒，使山药块包上糖浆。然后洒上黑芝麻（炒香），起锅装盘即成。

成菜特点：山药软烂，香甜适口，麻香味浓。

（九十五）蚕豆炖牛肉

蚕豆炖牛肉为四川省药膳。是用鲜蚕豆与黄牛肉，加生姜、葱、食盐等调料制成。具有健脾利湿之功效。适用于身体虚弱、反胃、不思饮食、虚弱水肿等症。

烹调类型：经炖烹制而成的鲜咸味型菜肴。

主料：鲜蚕豆250克，瘦黄牛肉500克。

调料：生姜15克，盐2克，葱15克。

制作要领：牛肉要先氽水，炖制时要用大火烧沸，小火炖烂，要控制加水量。

制作工艺：将鲜蚕豆（或干蚕豆用水发好）去皮，牛肉切成长2.5厘米、厚2厘米的块，加盐、生姜（拍破）、葱，一起放入砂锅内，加清水适量。将砂锅置武火上烧沸后，移文火上炖至豆、肉炖熟、起锅即成。

成菜特点：牛肉软烂，蚕豆软糯，鲜咸适口。

（九十六）八宝饭

八宝饭为四川省药膳。是用中药山药、茯苓等与粳米、芡实、薏苡仁、白扁豆、莲肉、党参、白术，加红糖制成。具有补脾胃、抗衰老之功效。适用于体虚乏力、虚肿、泄 泻等症。

烹调类型：经蒸烹制而成的甜味型菜肴。

主料：粳米 150 克。

配料：山药 6 克，茯苓 6 克，薏苡仁 6 克，芡实 6 克，莲肉 6 克，白扁豆 6 克，党参 6 克，白术 6 克。

调料：红糖 50 克。

制作要领：糯米要泡软，装碗要抹猪油，蒸制要二次复蒸，主配料才软糯蜜甜。

制作工艺：将山药、茯苓切成颗粒，党参、白术切成片，一起入锅熬成汁。芡实、薏苡仁、莲肉、白扁豆洗净入锅煮熟，沥干待用。将粳米淘洗干净，与煮熟的芡实、莲肉、薏苡仁、白扁豆同入锅，加入煎好的药汁，放入适量的水和红糖，上笼蒸约 50 分钟即成。

成菜特点：粳米白粘，软糯甜蜜。

（九十七）莲子锅蒸

莲子锅蒸为四川省药膳。是用莲米、百合、白扁豆、核桃仁、慈菇、玫瑰、蜜樱桃、金丝蜜枣、瓜片、肥儿粉与面粉，加熟猪油白糖制成。具有安心养神，健脾开胃之功效。适用于脾胃虚弱、精神不振、遗精、崩漏、带下等症。

烹调类型：经炒烹制而成的甜味型菜肴。

主料：面粉 80 克，肥儿粉 15 克。

配料：湘莲米 20 克，百合 15 克，白扁豆 10 克，核桃仁 15 克，鲜慈 15 克，玫瑰 3 克，蜜樱桃 10 克，金丝蜜枣 10 克，瓜片 10 克。

调料：熟猪油 125 克，白糖 50 克。

制作要领：炒制时要防火大，以免过火味苦。

制作工艺：将鲜慈菇去皮切成指甲片；莲米去皮心；扁豆去壳，同百合上笼蒸烂；核桃仁泡后去皮，炸酥剁碎；蜜樱桃对剖，瓜片、蜜枣切成丁，共成配料。将炒锅内下入猪油 50 克，烧至五成热（约 110℃）时，放入面粉炒散，再加入肥儿粉炒匀，下以上配料继续炒匀。起锅前放入玫瑰和猪油，翻炒均匀，起锅装盘即成。

成菜特点：面粉甘香，配料软烂多样。

川味火锅菜式

（一）重庆麻辣火锅

重庆麻辣火锅，是选用水牛毛肚、牛肝、牛腰、黄牛瘦肉、牛脊髓为主料，辅以鲜菜和多种调味品制成。含有丰富的蛋白质、脂肪、维生素 A_1、B_1、B_2、C、尼克酸，钙、磷、铁、钾等多种营养素。

烹调类型：是经涮制而成的麻辣味型菜肴。

主料：毛肚 250 克，牛肝 100 克，牛腰 100 克，黄牛瘦肉（背柳肉）150 克，牛脊髓 100 克。

配料：鲜菜 1000 克。

调料：大葱 50 克，青蒜苗 50 克，芝麻油 40 克，味精 4 克，辣椒粉 40 克，姜末 50 克，花椒 4 克，精盐 10 克，豆豉 40 克，醪糟汁 100 克，郫县豆瓣 125 克，料酒 15 克，熟牛油 200 克，牛肉汤 2250 克。

制作要领：毛肚、牛肉、牛肝等要求片大而薄、鲜菜块质要大些，以便涮时在短时内便于熟；调料麻辣要足，以突出川味。

制作工艺：毛肚用清水漂净漂白，片成 2 厘米宽的长薄片，用凉水漂起。肝、腰和牛肉均片成又薄又大的片。葱和蒜苗均切成 7～10 厘米长的段。鲜菜（莲花白、芹菜、卷心菜、豌豆苗均可)，用清水洗净，撕成长片。豆豉、豆瓣剁碎。炒锅置中火上，下牛油 75 克，烧至八成熟（约 180℃）时，放入豆瓣炒酥，加入姜末、辣椒粉、花椒炒香，再入牛肉汤烧沸，移至旺火上，放入料酒、豆豉、醪糟汁，烧沸出味，撇尽浮沫，即为火锅卤汁。将芝麻油和味精分成 4 份，调成 4 个味碟，供蘸食用。

临吃时，将卤汁烧沸上桌，各种肉菜原料分别盛入盘中，与精盐、牛油 125 克同时上桌，除脊髓、葱、蒜苗要先下入火锅外，其它原料由客人随食随烫，并根据汤味浓淡适量加入精盐和牛油。

成菜特点：麻辣鲜烫，口感丰富，自烹自食，乐在其中。

（二）酸菜白肉火锅

酸菜白肉火锅，是选用四川特制酸菜、猪五花肉为主料，辅以水粉丝、水发金钩、活螃蟹、京冬菜，以及多种调味品制成的特色火锅。含有丰富的蛋白质、脂肪、碳水化合物，维生素 A_1、B_1、B_2、尼克酸，钙、磷、铁、碘等营养素。酸菜，是白菜经过自然发酵而制成，具有开胃和降低血压的作用。

烹调类型：是经煮制的酸鲜味型菜肴。

主料：酸白菜 1000 克，带皮猪五花肉 1500 克。

配料：水发金钩 50 克，活螃蟹 2 只，水粉丝 500 克，京冬菜 50 克，鸡汤 2000 克。

调料：咸香菜 15 克，咸韭菜 15 克，绍酒 25 克，花椒水(用花椒 5 克加水 250 克熬制)15 克，味精 3 克，精盐 10 克，香菜末 25 克，腐乳 15 克，芝麻酱 25，克蒜酱 15 克，红椒油 10 克，卤虾油 10 克，咸酒菜花 15 克，酱油 15 克，米醋 15 克。

制作要领：猪五花肉要把皮面用明火烤焦，并刮去表面焦痂，在清水中浸泡，煮八成熟。酸菜要切成丝，并捏干水分，要把主配料按顺序在火锅中排好，而后再加鸡汤。

制作工艺：将去骨带皮的猪五花肉洗净，皮面朝下用明火焰烤至焦黄后，放在温水盆内浸泡约30分钟后捞出，用刀刮净皮面，然后在冷水锅内，先用旺火烧开，再用小火慢煮，煮至八成熟时捞出，放在方盘内用重物将肉压平，晾凉，运用锯刀法将肉切成薄如纸的大薄片，越薄越好。将酸菜帮掰开，洗净，去掉边缘菜叶，顺着菜帮片两刀（厚帮片两刀，薄帮片一刀），然后顶刀切成细丝，越细越好，洗净，捏干水分。水粉丝切成12厘米长的段。鸡汤倒入锅内，放入酸菜丝1000克，水粉丝500克、水发金钩50克、活螃蟹、京东菜、咸香菜、咸韭菜、绍酒、花椒水、味精、精盐等，用旺火烧开，撇净浮沫，盛入火锅内，上面摆白肉片，盖上盖。烧好的炭装在炉膛内，端上餐桌（大锅下部要垫有金属托盘，盘内放入凉水，以免烤坏餐桌）开锅即可食用。食用时要将香菜末、腐乳、芝麻酱、蒜酱、红椒油、卤虾油、咸韭菜花、酱油、米醋一并备在桌上，由食用者自配蘸食即可。

成菜特点：酸菜脆嫩咸酸，猪肉肥而不腻，汤白味咸味酸，海鲜香浓适口。

（三）什锦火锅

什锦火锅，又名“一品火锅”，是选用水海参、熟鸡肉、水发鱼肚、龙须菜、干贝、鲍鱼、鱿鱼、冬笋、大虾、火腿等主料配成，故而得名。同时，还辅以油菜、白菜、丸子、海米及多种调味品精制而成。含有极其丰富的蛋白质、脂肪、碳水化合物、维生素A、E、B_1、B_2、C、尼克酸，以及钙、磷、铁、碘等营养素。

烹调类型：是经煮制的鲜味型菜肴。

主料：水发海参条200克，熟净鸡肉条200克，水发鱼肚条200克，龙须菜200克，干贝200克，鲍鱼200克，鱿鱼卷200克，冬笋片200克，大虾片200克，火腿片200克。

配料：油菜心十颗（重约500克），白菜片1000克，氽丸子1000克，水海米50克，鸡汤2500克。

调料：精盐15克，绍酒25克，花椒水（花椒5克加水250克熬制而成）25克，味精12克。

制作要领：主配料要按不同颜色、荤素相间把料码好，使菜色颜丽多彩；鸡汤加调味品先熬制好后再注入锅中。

制作工艺：将火锅洗净，白菜片用开水略焯后捞出，晾冷，挤净水分，装在锅底，撒上海米，上面摆上氽好的丸子。将水海参条、熟鸡条、水鱼肚条、油菜、干贝、鲍鱼片、鱿鱼卷、冬笋片、大虾片、火腿片按不同的颜色，荤素相间顺序摆在氽丸子上面，再间隔摆上一条油菜心。取鸡汤倒入锅内，加入精盐、绍酒、花椒水、味精调好味，烧开后撇净浮沫，慢慢将汤注入火锅内（汤以淹过各种原料为宜），盖上盖，再把烧好的木炭用铁筷子夹住从囱口放入，待汤开，调好口味，垫盘上桌，揭盖即可食用。

成菜特点：选料多样，肉料细嫩，菜料酥烂，汤鲜味美，汤香爽滑。

（四）生片火锅

生片火锅，是选用鸡汤为汤料，并配以飞龙鸟片、牛里脊片、生鸡脯肉片、大虾片、猪通脊片、蛎蝗、鲜鱼片、冬笋片、口蘑片、龙须菜、雪里蕻、香油果子、菠菜、大白菜，以及多种调味品精制而成的特色火锅。含有极其丰富的蛋白质、脂肪、碳水化合物，维生素 A、B_1、B_2、C、尼克酸，以及钙、磷、铁、钾等营养素。

烹调类型：是经涮制的鲜味型菜肴。

主料：飞龙鸟片 150 克，牛里脊片 150 克，生鸡脯肉片 150 克，大虾片 150 克，猪通脊片 150 克，蛎蝗 150 克，鲜鱼片 150 克，冬笋片 150 克，口蘑片 150 克，龙须菜 150 克，雪里蕻段 150 克，菠菜段 150 克，炸粉花 4 朵，香油果 2 条，大白菜 100 克，鸡汤 2500 克。

调料：葱花 15 克，姜片 15 克，精盐 12 克，绍兴酒 50 克，花椒水（用花椒熬制的水）50 克，味精 10 克，胡椒粉 5 克，酱油 25 克，米醋 25 克，麻酱糊 25 克，蒜泥 5 克，腐乳 15 克，芝麻油 10 克，咸韭菜花 5 克，卤虾油 15 克，红椒油 25 克。

制作要领：肉料要片薄大片，越薄越好，涮制时一次不要下锅太多，一般夹 2～3 片或 4～5 片为宜，过多不易煮熟。肉片要在汤中略煮片刻，时间不宜过短或过长，过短不易熟，过长肉质老，不鲜嫩。一般以变灰色即可夹出蘸食。

制作工艺：将牛里脊肉、大虾、生鸡脯肉、飞龙鸟肉、鱼肉、通脊肉等片成大薄片，越薄越好，而后一并放入钵中加绍酒、葱花、姜片浸泡片刻，捞出分别装入 6 个盘内，把鲍鱼、蛎蝗分别码在两个盘里，其余的冬笋片、口蘑片、雪里蕻、龙须菜、香油果子（斜刀切成厚片）、菠菜、香菜、粉花分别装成八盘，各种原料码摆好之后，在上面洒上少许绍酒，然后用干净菜叶盖上。鸡汤倒在锅里，加入精盐、绍酒、花椒水、味精、胡椒粉调好口味，汤烧开后，撇净浮沫，淋上芝麻油，倒在火里盖上盖，再将烧好的木炭装入炉膛内，与上述各种原料一起端上餐桌，客人根据个人喜好，任选一种原料用筷子夹入汤内烫熟，蘸调味品食用。

将腐乳、咸韭菜花、卤虾油、蒜泥、米醋、麻酱糊、酱油、红椒油分别放入八个小碗内；再将精盐、胡椒粉、味精、葱花、姜末分别放在两个小碟内（每碟 5 样）由食者自配蘸食调味品。

成菜特点：选料多样，肉料细嫩，菜料清脆，汤鲜味美。

（五）菊花锅

菊花锅，是选用白菊花和猪五花肋条肉、鸡肉、鱼肉、猪腰、猪肚、猪肝、大活青虾、海参、鱿鱼、水发玉兰片、香菇等为主料，辅以多种调味品精制的一道特色火锅。含有极其丰富的蛋白质、脂肪、胆固醇，维生素 A、E、B_1、B_2、C、尼克酸，以及钙、磷、铁、碘、钾等营养素。

烹调类型：是经涮制的一道鲜味型菜肴。

主料：猪五花三层的肋条肉 250 克，鸡肉 200 克，鱼肉 250 克，肚子 200 克，腰子 200 克，猪肝 200 克，水发海参 200 克，鱿鱼 200 克，水发玉兰片 150 克，香菇 50 克 ，白色菊花瓣 300 克。高汤 2500 克。

调料：姜丝 15 克，葱丝 15 克，豌豆苗或芫荽 20 克，芝麻酱 30 克，酱油 30 克，料酒 25 克

制作要领：猪肉要选肥少瘦多的五花肉，肥肉多了，油脂溶于汤内，汤油过大，失去鲜味；鸡片要选用嫩母鸡肉，不要用公鸡及老鸡肉；鱼肉要选用 0.5～1.0 千克的活鲤鱼；肚

子要碱盐搓洗干净；腰子要去掉臊筋，肝脏要选黄沙肝，不要用血肝，菊花要选用色白大朵盛开的花，花瓣要用冷水漂净，不要用热水洗，也不要用手搓揉，以保持花瓣的挺括。

制作工艺：取猪五花三层的肋条肉，肥少瘦多切成薄片；鸡肉选用嫩母鸡肉洗净，切成片；鱼肉宰杀去鳞、腮、剖腹去内脏，洗净去掉头尾，切成薄片；肚子用盐、碱搓洗干净，除去腥臭，片成片；猪腰去净臊筋，片成薄片；选用黄沙肝洗净后切成薄片；虾仁须选用大活青虾，去壳，以上各料分别装盘。选用海味的水发海参、水发鱿鱼，都要片成薄片，配料水发玉兰片、香菇均切成片，分别装盘。白菊花取其花瓣用冷水漂净后盛盘备用。

取大瓷盘一只放桌中央，盘里安放一只铜制镂空花纹的锅圈，圈上架一只紫铜锅。瓷盘内倒入60度以上的白酒作燃料。锅内盛装制好的高汤，撇去浮油、点燃白酒，俟汤沸后，加入料酒，投入各种主配料片涮而食之，涮的程度可老可嫩，按各人口味自定。

调料是将酱油、醋、姜丝、葱丝、豌豆苗或芫荽、芝麻酱装盘一同上桌，就餐者每人备小碗一只，自调自蘸食之。

成菜特点：肉料多样，细嫩鲜香，汤味正浓，清香馥郁，芬芳宜人。

（陕）新登字017号

中国名菜经典菜谱丛书
川菜经典菜谱
王文福　主编
太白文艺出版社出版发行
（西安北大街131号）
社长兼总编　陈华昌
新华书店经销　　国营五二三厂印刷
787×1092毫米　32开本　8.625印张　6插页　183千字
1995年5月第1版　1995年5月第1次印刷
印数：1－10,000
ISBN 7－80605－199－6/G·23
（全八册：74.10元）定价：8.80元